Ao meu filho Iuri,

que esteve ao meu lado em todas as etapas do caminho.

A Petrobras, por meio do Programa Petrobras Ambiental, investe em iniciativas de proteção ambiental e difusão da consciência ecológica. O Programa atua em temas ambientais relevantes para a sociedade, incentivando a criação de soluções e alternativas que colaborem com a promoção do desenvolvimento sustentável.

Desde 2006, a Petrobras patrocina o Projeto Albatroz, que tem o objetivo de reduzir a captura não intencional de albatrozes e petréis. Suas principais linhas de ação são o desenvolvimento de pesquisas voltadas à conservação dessas aves marinhas ameaçadas de extinção; o subsídio a políticas públicas; e a promoção de ações de educação ambiental em Santos e Guarujá (SP), Itajaí e Navegantes (SC), Itaipava (ES) e Rio Grande (RS).

O resultado desse esforço é a formulação de medidas que protegem as aves; a sensibilização da sociedade quanto à importância da existência dos albatrozes e petréis para o equilíbrio do ambiente marinho; e o apoio dos pescadores ao uso de medidas para reduzir a captura dessas espécies no Brasil.

As ações do Projeto Albatroz têm sido uma contribuição importante para a conservação da biodiversidade marinha no Brasil. Além disso, com o apoio do Projeto, o Brasil tornou-se membro do Acordo Internacional para a Conservação de Albatrozes e Petréis (ACAP).

A Petrobras espera que esta publicação seja um instrumento de conscientização, para que cada vez mais pessoas conheçam a importância da conservação da biodiversidade marinha.

Ao patrocinar projetos como este, a Petrobras reafirma seu compromisso com a conservação ambiental e reforça sua contribuição para o desenvolvimento sustentável do Brasil.

Petrobras

TATIANA NEVES

ALBATROZ

UM
PROJETO
PELA
VIDA

O começo do Projeto Albatroz, na minha memória afetiva, foi no arquipélago dos Alcatrazes. Nessas ilhas, no litoral norte de São Paulo, conheci Tatiana Neves pulando de uma costeira pra outra, contando ninhos, marcando atobás e fragatas. Não perdi a chance de saber tudo o que pude sobre essas aves marinhas, que sempre fizeram parte do meu cotidiano de criança caiçara. Aprendi os nomes científicos, os rituais de acasalamento, o que é um comedio e qual o impacto que nós, seres humanos, causamos àquelas populações.

Tatiana e eu nos tornamos amigas de infância.

Nossas vidas tomaram muitos rumos diferentes, mas sempre tivemos os olhos voltados pro mar. Eu me tornei jornalista especializada em meio ambiente, e Tatiana seguiu com suas pesquisas e com seu aprofundamento acadêmico. Foi viver no Rio Grande do Sul e lá conheceu aves maiores e problemas maiores. Conheceu os ventos do sul e as aves majestosas que, saindo da região subantártica, percorriam nossa costa atrás de alimento. Apaixonadas como somos por boas histórias, compartilhamos mais essa. Uma ave marinha de porte espetacular, que voa como se velejasse, viaja por milhas e milhas, forma um único casal pela vida e interage com a pesca de espinhel em alto-mar.

Oficialmente, o Projeto Albatroz começava aí. A cada descoberta, um novo telefonema, horas de boa conversa sobre um albatroz-de-sobrancelha-negra – o lindo que mais aparece por aqui –, sobre o viajeiro e seus 3,5 metros de envergadura, sobre os raríssimos albatrozes-de-tristão. Mais conversas sobre os métodos pra diminuição do impacto da pesca, as invenções no Japão, as adaptações feitas pelos bravos pescadores brasileiros, o incrível Programa de Observadores de Bordo. O sonho foi crescendo.

Lembro que tínhamos vontade de ter um barco com o nome do Projeto, com um gigantesco albatroz na vela e uma baleia-azul no casco.

Mas sonhos, pra se tornarem concretos, precisam de ações, de planejamento, de estrutura. Nossos voos tinham que partir com os pés no chão. Com o passar dos anos, com a seriedade dos fatos levantados pela observação e pela pesquisa, o Projeto Albatroz foi ganhando aliados importantes, a começar pela própria indústria de pesca e por todos os envolvidos, armadores e trabalhadores do mar. Tatiana participou de inúmeros encontros internacionais, relatando nossa experiência brasileira, e o Projeto teve atuação importante nos tratados e acordos internacionais para conservação de aves marinhas. Nessa trajetória, a criação do Instituto foi um passo fundamental. Hoje temos parcerias com o governo, por intermédio dos ministérios da Pesca e do Meio Ambiente, e com a renomada BirdLife International e fazemos parte da Rede Biomar, uma conquista e um efetivo reconhecimento.

Tenho muito orgulho de fazer parte dessa história, da tripulação de terra, porque a comandante em alto-mar, enfrentando altas ondas, intempéries e outros bichos, é minha amiga Tatiana Neves. Impossível escrever este prefácio em outro tom. Até porque não sou a cientista dessa incrível empreitada; sou uma apaixonada pela natureza, pelo mar e por esta linda jornada do Albatroz. Obrigada a todos os amigos, parceiros novos e antigos que estão ao nosso lado. Nosso rumo continua o mesmo, estamos em luta pela vida, pela conservação do planeta através do conhecimento – a ferramenta mais poderosa de todas. Prova disso é a contribuição dos pescadores, que se dá de forma muito mais efetiva depois que os observadores de bordo se envolvem no dia a dia, levando informação e aprendendo com eles. Aprendemos todos.

Este lindo livro celebra a criação do Projeto Albatroz e sua rota. Bem-vindos a bordo.

Patrícia Palumbo
Diretora-presidente do Instituto Albatroz

SUMÁRIO

Eu, primeiro, preciso falar sobre o que acredito ser o trabalho que faço. Acho que tem a ver com crônica, com jornalismo. Tudo o que me comove e me inquieta é matéria para usar nas minhas canções. Portanto tem essa ligação com minha história pessoal, com o que eu vejo e me emociono. Essa é a matéria-prima.

Sou um ser marinho, me criei dentro d'água. Tenho uma relação quase uterina com o mar, eu preciso dele. Aliás, o mar foi fundamental na escolha que fiz no momento em que parti de Recife. Ao sair de lá, eu tinha duas opções porque só existiam dois grandes polos culturais: Rio e São Paulo. Optei pelo Rio por causa do mar, pela proximidade com ele. Fui criado descobrindo os paraísos desse mar caymmesco, esse mar que é a costa brasileira gigantesca.

É natural que isso tenha exercido sobre mim um fascínio muito grande, a ponto de eu me aproximar dessa turma do bem que se dedica a preservar principalmente o meio marinho. Acho que, de alguma maneira, a música que faço e a exposição que tenho podem ajudar esses caminhantes meio solitários, que têm como objetivo a melhoria do ser humano.

Sou muito solidário a eles, desde sempre. Ao longo da vida, fui me reconhecendo nessas pessoas, nessas ONGs, nesses projetos como o Albatroz. Fico feliz e fico muito orgulhoso de me reconhecer nessas pessoas e, de alguma maneira, o meu trabalho foi um subterfúgio que arrumei para estar perto disso tudo, de não me distanciar do que realmente tem valor, que é o que você faz com a sua vida e para quem você faz isso. É por isso que sou tão solidário.

Se eu não estivesse fazendo música, certamente estaria envolvido com algum movimento na área de preservação, especificamente no meio marinho, por conta da minha paixão pelo mar. De toda forma, contribuo, sim, na medida em que vou adequando meu trabalho para estar sempre próximo dos próximos que têm esse trabalho tão lindo de preservar a natureza.

Lenine

A ROTA
DO ALBATROZ

JULHO DE 1990

PRIMEIRO CONTATO COM ALBATROZES CAPTURADOS EM ESPINHEL: NASCE O PROJETO ALBATROZ.

Em julho de 1990, Rogério Menezes, aluno de mestrado da Universidade Federal do Rio Grande (Furg) que estudava a pesca do espadarte, desembarcou em Santos (SP). Voltava de um cruzeiro de pesquisa em barco pesqueiro e trazia consigo alguns albatrozes e petréis mortos, apanhados pelos anzóis durante a pescaria. Foi o primeiro contato da então estudante de biologia Tatiana Neves com o trágico problema da captura incidental de aves marinhas em pescarias. Naquele momento, Tatiana decidiu fazer um trabalho mais aprofundado para verificar se a captura incidental de albatrozes e petréis, já conhecida em outras regiões do planeta, acontecia também no Brasil. Rogério apresentou Tatiana aos mestres de pesca dos barcos com espinhel de Santos, e assim começaram as primeiras coleções de dados. Nascia o Projeto Albatroz.

MARÇO DE 1991

PRIMEIRA PUBLICAÇÃO CIENTÍFICA, POR TEODORO VASKE JR., SOBRE A CAPTURA INCIDENTAL DE ALBATROZES E PETRÉIS NO BRASIL.

SETEMBRO DE 1991

CHEGADA DE ALBATROZ COM ANILHA METÁLICA AO MUSEU DO MAR, EM SANTOS.

Um albatroz com anilha (anel de identificação) foi apanhado em anzol de uma embarcação brasileira e levado ao Museu do Mar, em Santos, de propriedade do biólogo Luis Alonso. O tamanho da ave impressionou a todos: mais de três metros de envergadura. Tatiana Neves foi chamada para identificar a espécie. Tratava-se de um albatroz-viajeiro (*Diomedea exulans*). A anilha era do British Trust for Ornithology (BTO), instituição para onde Tatiana enviou vasto material com informações e fotos da ave. A resposta veio logo em seguida, notificando que o albatroz era uma fêmea em plena atividade reprodutiva e vinha sendo monitorada pelos pesquisadores nas ilhas Geórgia do Sul, onde havia deixado o ninho e o filhote aos cuidados do parceiro. A carta dizia ainda que a ave tinha sido anilhada como filhote, em 8 de novembro de 1978, e estava, portanto, com pouco mais de doze anos quando se viu apanhada.

OUTUBRO DE 1991

APRIMORADAS AS PRIMEIRAS PLANILHAS PARA PREENCHIMENTO DOS PESCADORES — OS MAPAS DE BORDO.

Para monitorar a atividade pesqueira, o Projeto Albatroz entregava aos mestres dos barcos as planilhas que eles deveriam preencher com informações como as coordenadas geográficas dos lances de pesca, a profundidade, o número de anzóis utilizado, os tipos de isca, o número de aves apanhadas etc. Tais planilhas eram muito complexas. Havia uma folha para cada lance de pesca, o que resultava em enorme pilha de papel, difícil de manejar a bordo.

Um mestre japonês que trabalhava nos barcos brasileiros recebeu esses mapas de bordo e preparou uma planilha única que, de modo simples e compacto, apresentava todas as informações necessárias. Até hoje, as planilhas usadas pelo Projeto Albatroz conservam muitas características da que foi criada naquela ocasião.

A VIDA ANTES DOS PROGRAMAS DE GEORREFERENCIAMENTO: MAPAS A NANQUIM.

O primeiro ano de monitoramento dos barcos em Santos foi marcado, sobretudo, pela aproximação com os pescadores. Iniciou-se uma troca que se mostrou importante para ambas as partes, levando alguns conhecimentos aos pescadores e colhendo dados sobre a realidade do dia a dia a bordo. Em outubro de 1991, o Projeto Albatroz já possuía informações suficientes para começar a elaborar mapas de distribuição do esforço de pesca – ou seja, para realizar o mapeamento dos locais de largada dos espinhéis. Os mapas eram confeccionados de maneira muito rudimentar, sendo pintados a nanquim em papel vegetal sobre uma carta náutica. Hoje, usam-se sofisticados programas de georreferenciamento.

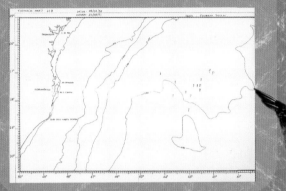

PRIMEIRO CONVITE PARA EVENTO FORA DO PAÍS: I CONFERÊNCIA INTERNACIONAL SOBRE BIOLOGIA E CONSERVAÇÃO DOS ALBATROZES, EM HOBART, TASMÂNIA (AUSTRÁLIA).

Graças ao contato com o Dr. John Croxall, outras autoridades mundiais ficaram cientes do trabalho que se iniciava no Brasil. Tatiana Neves, do Projeto Albatroz, e o Dr. Fábio Olmos receberam então convite para participar da I Conferência Internacional sobre Biologia e Conservação dos Albatrozes, que se realizaria na Austrália no ano seguinte. O Projeto Albatroz, então, iniciou a coleta e processamento de dados, que culminou no diagnóstico preliminar sobre a questão no Brasil, trabalho esse que seria apresentado na conferência.

O convite para aquele encontro histórico foi feito pelo Dr. Graham Robertson, um pesquisador da Australian Antarctic Division, com base na Tasmânia, onde aconteceria a conferência.

AOS POUCOS, A FROTA BRASILEIRA DE ESPINHEL MUDA DO MÉTODO DE PESCA JAPONÊS, COM ROLOS E LINHAS GROSSAS, PARA O AMERICANO, COM MONOFILAMENTO DE NÁILON.

MARÇO DE 1994

JUNHO DE 1994

OUTUBRO DE 1991

MARÇO 1994

JULHO DE 1993

CARTA DO DR. JOHN CROXALL SOBRE A IMPORTÂNCIA DO BRASIL NO CONTEXTO MUNDIAL DE CAPTURA DE AVES MARINHAS EM ESPINHÉIS. A CARTA É IMPORTANTE IMPULSO PARA QUE SE CONSOLIDE O PROJETO ALBATROZ.

Junto com a carta enviada ao BTO sobre a fêmea de albatroz-viajeiro que havia sido trazida para Santos em setembro de 1991, Tatiana despachou um texto em que falava da intenção de trabalhar com a problemática da captura de albatrozes e petréis no Brasil. Quase dois anos depois, em julho de 1993, recebeu correspondência da máxima autoridade mundial em conservação do albatroz, o Dr. John Croxall, um pesquisador da British Antarctic Survey, a agência de pesquisas e levantamentos antárticos do Reino Unido. Dr. Croxall incentivava Tatiana a fazer esse trabalho, pois os britânicos já sabiam que o Brasil era uma das áreas mais importantes para a conservação dos albatrozes e que, até aquele momento, não havia pesquisas em nossa região. A carta do Dr. Croxall fez muito para fortalecer a ideia de que era necessário consolidar o trabalho do Projeto Albatroz.

CONVITE PARA COMPOR O GRUPO DE ESPECIALISTAS DA CCAMLR EM CAPTURAS INCIDENTAIS CAUSADAS PELA PESCA.

Na pessoa da Coordenadora Tatiana Neves, o Projeto Albatroz recebeu importante convite do Dr. Carlos Moreno, professor da Universidad Austral de Chile e, na época, presidente do Grupo de Trabalho *Ad Hoc* de Mortalidade Incidental Causado por Pescarias (IMAF) da Comissão para Conservação dos Recursos Vivos Marinhos Antárticos (CCAMLR, sigla inglesa que se pronuncia "camelar"). A Comissão é responsável, entre outras coisas, pelo ordenamento das pescarias que ocorrem na região do Tratado Antártico. Levando em conta que tal região concentra grande quantidade de colônias de albatrozes e petréis e que grande parte das pescarias ali utiliza o espinhel para a pesca da merluza-negra (*Dissostichus eleginoides*), a interação daquelas aves com a pesca causava muitas capturas incidentais. A participação brasileira, a convite da Dra. Edith Fanta e por intermédio do Projeto Albatroz, consolidou-se anos depois, e se revelou de suma importância, pois a CCAMLR foi o primeiro órgão de ordenamento pesqueiro a utilizar medidas de proteção às aves e mamíferos marinhos.

CONSULTA AO MAIOR ESPECIALISTA EM AVES MARINHAS DO BRASIL, O PROF. DR. CAROLUS MARIA VOOREN, DA UNIVERSIDADE FEDERAL DO RIO GRANDE (FURG), SOBRE OS MÉTODOS CIENTÍFICOS APLICADOS NOS BARCOS PESQUEIROS EM SANTOS.

CONSOLIDADA A METODOLOGIA DE MONITORAMENTO DOS BARCOS NOS TERMINAIS DE PESCA.

JULHO DE 1994

MARÇO DE 1995

MARÇO DE 1995

PRIMEIRA TURMA DE ESTAGIÁRIOS PARA TRABALHO NO TERMINAL PESQUEIRO DE SANTOS E EM LABORATÓRIO, EM PARCERIA COM SEBASTIÃO MEDEIROS.

No início do monitoramento da atividade pesqueira no Terminal Pesqueiro de Santos, era muito intenso o movimento de barcos de espinhel pelágico (ou seja, de espinhel para a pesca oceânica, em alto-mar). O Terminal fervilhava de pessoas e de barcos, e esses últimos, por falta de espaço no píer, atracavam uns no contrabordo dos outros, fazendo linhas de quatro ou mais embarcações amarradas lado a lado. Para monitorar frota tão dinâmica, era preciso gente, em número e disposição suficiente para manter o Projeto Albatroz presente todos os dias nos píeres. Sem nenhum recurso que tornasse isso possível, o Projeto procurou a Universidade Santa Cecília, de Santos, que tinha como Coordenador do curso de biologia o Dr. Fábio Giordano. Este fez então circular um convite aos alunos interessados em participar voluntariamente do Projeto Albatroz e marcou dia e horário para uma apresentação do Projeto em uma das salas de aula. Qual não foi a surpresa dos representantes do Projeto ao chegaram e depararem com um pequeno tumulto: a sala não comportava o número de interessados, e havia gente do lado de fora. Os primeiros estagiários do Projeto Albatroz vieram daquela turma e, mantendo o monitoramento dos píeres, fizeram história no Projeto. Fica aqui registrada a homenagem do Projeto Albatroz ao Dr. Giordano e a essas pessoas.

Sebastião Medeiros e Tatiana Neves trabalhando no laboratório

Com o monitoramento estabelecido no Terminal Pesqueiro de Santos para avaliar a magnitude do problema da captura incidental no Brasil, o Projeto Albatroz começou a receber enorme quantidade de aves mortas, trazidas pelos próprios pescadores. Esse valioso material não só possibilitava a quantificação da captura, como também representava incrível acervo, digno de ser depositado nos mais importantes museus brasileiros para que se efetuassem estudos futuros. No entanto, era necessário laboratórios e estruturas para a preparação desse material. Com apoio do Museu do Mar, o Projeto Albatroz teve o privilégio de trabalhar com Sebastião Medeiros, taxidermista de renome, que nos auxiliou na catalogação das aves. O Sr. Medeiros, pessoa de muito carisma, foi um dos grandes colaboradores do Projeto.

CRIAÇÃO DO PROGRAMA DE OBSERVADORES DE BORDO DO PROJETO ALBATROZ. PRIMEIRO CRUZEIRO DE PESCA MONITORADO.

O primeiro embarque do Projeto Albatroz foi de Andreas Kiekebusch, na época aluno da Universidade Santa Cecília. O barco escolhido foi o *Itaoca*, da Olinda Pescados, empresa pertencente à Katutoshi Ono e irmãos. O barco era comandado pelo mestre Aage Dahlstrom, conhecido entre os pescadores como mestre Hugo. Isso aconteceu em maio de 1995, e o objetivo era verificar *in loco* como se dava a captura incidental de aves e de que forma esse problema poderia ser evitado. O embarque se mostrou um sucesso e foi seguido de vários outros. Assim surgiu o Programa de Observadores do Projeto Albatroz, até hoje em franca atuação.

MAIO DE 1995

AGOSTO DE 1995

PARTICIPAÇÃO DO BRASIL NA I CONFERÊNCIA INTERNACIONAL SOBRE BIOLOGIA E CONSERVAÇÃO DO ALBATROZ (AUSTRÁLIA).

A participação brasileira nessa conferência contou com a presença do Projeto Albatroz, representado por Tatiana Neves e também pela participação do Dr. Fábio Olmos. A apresentação oral feita por Tatiana, a uma seleta plateia de especialistas em conservação de albatrozes, constituiu um marco para a internacionalização do Projeto. Em decorrência dessa participação, Olmos e Tatiana foram convidados a apresentar seus resultados no livro que consolidaria as principais informações sobre o albatroz disponíveis na época: *The Albatross Biology and Conservation*, organizado por Graham Robertson e Rosemary Gales e publicado pela editora científica australiana Surrey Beatty & Sons. A partir daí, o Projeto se tornou a referência internacional para a conservação de albatrozes e petréis no Brasil.

NO LIVRO *THE ALBATROSS BIOLOGY AND CONSERVATION*, PUBLICA-SE CAPÍTULO SOBRE A CAPTURA INCIDENTAL DE AVES MARINHAS NO BRASIL – UM MARCO PARA A INTERNACIONALIZAÇÃO DO PROJETO ALBATROZ.

SETEMBRO DE 1995

1º CURSO DE OBSERVADORES DE BORDO DO PROJETO ALBATROZ.

JANEIRO DE 2000

TATIANA NEVES, COORDENADORA DO PROJETO ALBATROZ, PARTICIPA COMO DELEGADA BRASILEIRA DE REUNIÃO PARA DISCUTIR UM ACORDO PARA CONSERVAÇÃO DE ALBATROZES E PETRÉIS DO HEMISFÉRIO SUL, QUE DEPOIS SE CONSOLIDARIA COMO ACAP.

SETEMBRO DE 1998

JULHO DE 2000

SETEMBRO DE 2000

A BORDO DO NAVIO OCEANOGRÁFICO *ATLÂNTICO SUL*, DA FURG, A BIÓLOGA TATIANA NEVES (SOB ORIENTAÇÃO DO PROF. DR. VOOREN) ESTUDA A DISTRIBUIÇÃO E ABUNDÂNCIA DE AVES MARINHAS NO BRASIL MERIDIONAL.

Durante seis cruzeiros a bordo do navio oceanográfico *Atlântico Sul*, no âmbito do Programa REVIZEE e do Projeto Argos, realizaram-se censos de aves marinhas para determinar as espécies presentes, sua abundância e sazonalidade e os fatores ambientais que definem a presença delas. O trabalho se fez na área compreendida entre o Chuí (RS) e Itajaí (SC) e sobre a plataforma e o talude continentais, com profundidades de duzentos a 1500 metros. Houve censos tanto das aves marinhas que seguiam a embarcação quanto daquelas que estavam dispersas em alto-mar. Durante o estudo, registraram-se 24 táxons, correspondentes a espécies migrantes que provinham dos ninhais de Tristão da Cunha, Patagônia e Malvinas-Falklands, da região antártica e subantártica e, também, do hemisfério norte. Testou-se ainda o método pelo qual a distância da área de contagem das aves é determinada por um paquímetro posicionado na altura da linha do horizonte.

FORMADA UMA PARCERIA HISTÓRICA: CONTATO COM OS ARMADORES DAS MAIS IMPORTANTES E REPRESENTATIVAS EMPRESAS BRASILEIRAS DE PESCA COM ESPINHEL DO BRASIL.

O Projeto Albatroz contatou os principais armadores de pesca do Brasil, das empresas mais representativas do ramo: Roberto Imai, da Imai Pesca (Santos); Wagner Simões, da Itafish (Santos); e José Kowalsky, da Kowalsky (Itajaí). A ideia era envolvê-los na conservação dos albatrozes. Houve uma reunião com eles, e se apresentou toda a problemática da captura incidental e dos possíveis danos que ela trazia para o setor pesqueiro – que não só tinha prejuízos com o "roubo" das iscas pelas aves, mas, em decorrência da captura de espécies ameaçadas, também sofria a permanente possibilidade de embargos comerciais nos EUA e na Europa, mercados para onde se exportava o pescado. Iniciou-se uma conversa para determinar quais das diversas medidas de mitigação usadas no mundo seriam mais adequadas à frota nacional. Sensibilizados com a morte desnecessária das aves marinhas, os empresários elegeram como as medidas mais adequadas à frota pesqueira nacional o toriline e o tingimento das iscas de azul; a segunda medida, considerada promissora na época, visava a camuflar as lulas na superfície do mar.

OUTUBRO DE 2000

PRIMEIRO TESTE DE MEDIDAS MITIGADORAS NO BRASIL: ISCAS TINGIDAS DE AZUL PARA CONFUNDIR OS ALBATROZES.

O primeiro teste de medidas mitigadoras no Brasil foi efetuado pela Imai Pesca, a bordo do *Taihei Maru*, sob o comando do mestre Jose Cipriano dos Anjos, conhecido como mestre Dedé. O teste foi feito com a lula tingida de azul e se destinava a ter ideia do impacto dessa medida na captura tanto das aves quanto do pescado.

O tingimento das iscas com diversas cores era técnica utilizada por alguns pescadores para aumentar a atratividade que elas exerciam sobre o pescado. Notou-se que, quando a cor usada era azul, a interação com as aves parecia menor. No panorama internacional, contudo, a medida foi contraindicada por não haver subsídios técnicos suficientes para comprovar sua eficiência.

A ELABORAÇÃO DO PRIMEIRO VÍDEO INSTITUCIONAL PROPORCIONA A GRATA SURPRESA DE OUVIR DEPOIMENTOS MARCANTES DOS PESCADORES SOBRE A IMPORTÂNCIA DE PRESERVAR AS AVES.

NOVEMBRO DE 2000

EM TRABALHO CONJUNTO COM O IBAMA, POR MEIO DE SEU DEPARTAMENTO DE PESCA E AQUICULTURA (DEPAQ, CHEFIADO POR GILBERTO SALES), REALIZAM-SE ESTUDOS DAS BIÓLOGAS TATIANA NEVES E MARIA CAROLINA HAZIN (RESPECTIVAMENTE NO LITORAL SUL E LITORAL NORTE DO PAÍS) SOBRE A CAPTURA ACIDENTAL DE AVES MARINHAS NO BRASIL.

NOVEMBRO DE 2000

O ARMADOR ZECA KOWALSKY ORGANIZA UMA REUNIÃO COM TODOS OS PESCADORES DA EMPRESA E CONVIDA TATIANA NEVES A FALAR DOS ALBATROZES E DA CAPTURA INCIDENTAL.

Num momento em que os profissionais da pesca estavam motivados para desenvolver formas de evitar a captura de aves, o armador José Kowalsky convidou Tatiana Neves a dar uma palestra a todos os pescadores da empresa. Esse encontro, no Cepsul-Ibama (Itajaí), foi o primeiro contato coletivo com os pescadores. A partir daí, eles reconheceram que o Projeto Albatroz fazia um trabalho colaborativo e que poderiam atuar em conjunto para identificar medidas que seriam efetivas na redução da captura e tornariam a pesca mais responsável e produtiva.

JANEIRO DE 2001

JANEIRO DE 2001

NOVEMBRO DE 2000

PARTICIPAÇÃO NO I FÓRUM INTERNACIONAL DE PESCADORES PARA SOLUCIONAR A CAPTURA INCIDENTAL DE AVES MARINHAS NA PESCA COM ESPINHEL, EM AUCKLAND (NOVA ZELÂNDIA).

Esse fórum foi muito importante para a história da conservação dos albatrozes no país, pois os três principais armadores nacionais, lá reunidos, puderam ver como o problema era visto e tratado pelas outras nações e quão importante o Brasil era naquele contexto. Durante a reunião, que também contou com a participação do Projeto Albatroz, os armadores receberam vídeos, panfletos e outros materiais informativos sobre as medidas mitigadoras utilizadas ao redor do mundo. Tais informações, levadas aos pescadores, mobilizaram sobretudo os mestres de pesca de Itajaí, possibilitando que eles adaptassem as medidas à realidade brasileira.

COM BASE NAS INFORMAÇÕES TRAZIDAS DE OUTROS PAÍSES, PESCADORES BRASILEIROS CRIAM NOVO MODELO DE TORILINE, MAIS ADEQUADO AOS BARCOS DAS EMPRESAS NACIONAIS.

Com as informações que chegaram aos pescadores, o Sr. José Ventura (o Seu Zé), na ocasião mestre do barco *Macedo I*, da empresa Kowalsky, juntou os materiais que tinha à disposição nos armazéns da empresa e montou um toriline com fitas curtas, leves e coloridas. Diferentemente do modelo utilizado em outros países (cujas fitas eram longas e pesadas). O que o mestre não podia então imaginar era que esse equipamento, após alguns ajustes, seria futuramente adotado como uma das principais medidas recomendadas no Brasil e em diversas outras partes do mundo.

O toriline consiste num cabo longo que é arrastado pela embarcação durante o procedimento de largada do espinhel. A intenção é afugentar as aves para longe da área onde as isca, lançada pelos pescadores, ainda está boiando perto da superfície, antes de afundar para as profundidades de pesca (onde as aves não mais a alcançam). O cabo tem uma das extremidades presa a um poste de oito metros de altura, posicionado na popa da embarcação; a outra extremidade leva um dispositivo que causa resistência ao ser arrastado na água, fazendo que a linha fique esticada e ganhe altura. A parte aérea é provida de fitas coloridas que balançam ao vento, afugentando as aves.

O PROJETO ALBATROZ PARTICIPA DE TODAS AS FASES DE ELABORAÇÃO DO TEXTO DO ACORDO PARA CONSERVAÇÃO DE ALBATROZES E PETRÉIS (ACAP), FINALIZADO DURANTE REUNIÃO NA ÁFRICA DO SUL.

FEVEREIRO DE 2001

JUNTO COM A AUSTRÁLIA, NOVA ZELÂNDIA, PERU, REINO UNIDO, CHILE, FRANÇA E ARGENTINA, O BRASIL ASSINA O ACAP NA PRIMEIRA RODADA DO ACORDO E TORNA-SE, DESSE MODO, UM DOS PRIMEIROS SIGNATÁRIOS. PARA TORNAR-SE MEMBRO, NO ENTANTO, O BRASIL PRECISA RATIFICAR O ACORDO, O QUE ACONTECERÁ EM 2008.

INSTALADA A PRIMEIRA SEDE OFICIAL DO PROJETO ALBATROZ: A "SALA DO PESCADOR", NO TERMINAL PESQUEIRO DE SANTOS.

JANEIRO DE 2003

JUNHO DE 2001

2º CURSO DE OBSERVADORES DE BORDO DO PROJETO ALBATROZ.

JUNHO DE 2001

O PROJETO ALBATROZ PARTICIPA DA II CONFERÊNCIA INTERNACIONAL SOBRE BIOLOGIA E CONSERVAÇÃO DE ALBATROZES, EM HONOLULU (HAVAÍ).

MAIO DE 2002

JANEIRO DE 2003

4º CURSO DE OBSERVADORES DE BORDO DO PROJETO ALBATROZ.

NOVEMBRO DE 2002

JUNHO DE 2002

3º CURSO DE OBSERVADORES DE BORDO DO PROJETO ALBATROZ.

O PROJETO ALBATROZ É CONVIDADO A FAZER A PALESTRA DE ABERTURA NO II FÓRUM INTERNACIONAL DE PESCADORES PARA REDUZIR A CAPTURA ACIDENTAL DE AVES E TARTARUGAS-MARINHAS NA PESCA COM ESPINHEL, REALIZADO TAMBÉM NO HAVAÍ.

CRIADO O INSTITUTO ALBATROZ, QUE, COM O APOIO DA FAO, ELABORARÁ O PLANO DE AÇÃO NACIONAL PARA A CONSERVAÇÃO DE ALBATROZES E PETRÉIS (PLANACAP).

Ciente de que o Brasil havia assumido perante a Organização das Nações Unidas para a Alimentação e Agricultura (FAO) a responsabilidade de elaborar um plano nacional que reduzisse a captura de aves nos espinhéis, o Projeto Albatroz conseguiu recursos da mesma organização para, junto com o Ibama e a BirdLife International, elaborar o documento que se tornaria o Plano de Ação Nacional para a Conservação de Albatrozes e Petréis (Planacap). A fim de receber esses recursos, o Projeto Albatroz, que até então mantinha vínculos com a BirdLife International – Programa do Brasil (hoje Save Brasil), decidiu ser hora de criar sua própria instituição. Assim, em 25 de abril de 2003, nasceu o Instituto Albatroz, primeira entidade do mundo a dedicar-se a preservar os albatrozes e reduzir a captura incidental dessas aves em artefatos de pesca.

ABRIL DE 2003

COMO PREPARAÇÃO PARA QUE SE REDIJA O PLANACAP, O PROJETO ALBATROZ PROMOVE VISITAS A TODOS OS PORTOS PESQUEIROS ONDE HÁ BARCOS COM ESPINHEL NO BRASIL, DESDE RIO GRANDE (RS) ATÉ ICOARACI (PA).

OUTUBRO DE 2003

O PROJETO ALBATROZ ESTABELECE PARCERIA COM A BIRDLIFE INTERNATIONAL – PROGRAMA DO BRASIL, FORTALECENDO AS AÇÕES DE CONSERVAÇÃO DO ALBATROZ NO BRASIL.

DEZEMBRO DE 2003

NOVEMBRO DE 2003

JULHO DE 2003

EM UBATUBA (SP), SURGE A PARCERIA ENTRE O PROJETO ALBATROZ E O PROJETO TAMAR, ESTABELECENDO A COOPERAÇÃO MÚTUA PARA REDUZIR AS CAPTURAS DE AVES E TARTARUGAS-MARINHAS.

O PROJETO ALBATROZ E A BIRDLIFE INTERNATIONAL – PROGRAMA DO BRASIL (HOJE SAVE BRASIL) ELABORAM E APRESENTAM AO IBAMA A PRIMEIRA VERSÃO DO PLANACAP.

A primeira versão do Planacap foi elaborado pelo Projeto Albatroz e pela BirdLife International – Programa do Brasil. O documento se inspirou nas linhas abordadas no Plano de Ação Internacional para Redução da Captura Incidental de Aves Marinhas na Pesca com Espinhel, da FAO. A iniciativa nacional pretendia atender a duas espécies de aves que se reproduzem no Brasil (petrel-de-asa-larga e pardela-da-trindade) e abrangia ainda as diversas espécies que ocorrem no país o ano todo mas não se reproduzem aqui. Essas últimas, que somam a maioria das espécies a proteger, são as que se alimentam na área de pesca e acabam sendo capturadas incidentalmente.

A segunda parte do Plano apresentava as ações propriamente ditas, que tinham dois objetivos principais: assegurar a viabilidade das colônias reprodutivas no Brasil e reduzir a captura de aves para níveis muito baixos. A versão preliminar do Planacap foi oficialmente entregue ao Ibama em 2003.

5º CURSO DE OBSERVADORES DE BORDO DO PROJETO ALBATROZ.

JULHO DE 2004

O BRASIL PARTICIPA DA PRIMEIRA REUNIÃO DAS PARTES DO ACAP (MOP1).

NOVEMBRO DE 2004

INÍCIO DA ATUAÇÃO DO PROJETO ALBATROZ NA COMISSÃO INTERNACIONAL PARA A CONSERVAÇÃO DO ATUM DO ATLÂNTICO (ICCAT).

SETEMBRO DE 2005

ABRIL DE 2004

O IBAMA E O PROJETO ALBATROZ PROMOVEM UM WORKSHOP NACIONAL PARA DISCUTIR E VALIDAR O PLANACAP.

Considerando que a primeira versão do Planacap foi elaborada por entidade do terceiro setor, era necessário que ele se tornasse documento governamental. Para tanto, o Sr. Ricardo Soavinsky, Coordenador-geral de Fauna do Ibama, organizou com apoio do Projeto Albatroz um workshop em Guarujá (SP), na Fortaleza da Barra. Ali, o documento foi apresentado a 35 representantes de diversos segmentos envolvidos, como empresas de pesca, instituições de pesquisa, a Marinha, o Ministério da Pesca, o Ministério do Meio Ambiente e mais organizações do terceiro setor. O documento foi discutido, modificado e então adotado pelo Ibama – ou seja, pelo governo brasileiro – como a estratégia nacional para a conservação de albatrozes e petréis.

JUNHO DE 2005

7º CURSO DE OBSERVADORES DE BORDO DO PROJETO ALBATROZ.

FEVEREIRO DE 2005

6º CURSO DE OBSERVADORES DE BORDO DO PROJETO ALBATROZ, EM CONJUNTO COM O 1º CURSO DE OBSERVADORES DA CCAMLR.

MARÇO DE 2006

8º CURSO DE OBSERVADORES DE BORDO DO PROJETO ALBATROZ.

COMEÇA A PARTICIPAÇÃO BRASILEIRA NO PROGRAMA ALBATROSS TASK FORCE.

Os albatrozes são aves migratórias e requerem esforço mundial para sua conservação. Por isso, a Birdlife International, em seu Programa Global de Aves Marinhas, estabeleceu uma iniciativa chamada Albatross Task Force. A África do Sul foi o primeiro país a ingressar nessa rede internacional; o Brasil foi o segundo, e seguiram-se a Namíbia, Uruguai, Argentina, Chile, Equador e Peru. Com aporte de recursos da Royal Society for the Protection of Birds (RSPB), iniciou-se a contratação de instrutores nos principais portos do Brasil, desenvolvendo medidas mitigadoras e treinando os pescadores para adotá-las em alto-mar. Em nosso país, a Albatross Task Force é coordenada pelo Projeto Albatroz, conta com apoio da Save Brasil e proporciona a maior parte das pesquisas para elaborar e aprimorar medidas mitigadoras em alto-mar.

albatross Task Force

DURANTE REUNIÃO DO ACAP NO DIA INTERNACIONAL DO MEIO AMBIENTE, O PLANACAP É OFICIALMENTE LANÇADO NO BRASÍLIA.

JUNHO DE 2006

O BRASIL APRESENTA O PRIMEIRO RELATÓRIO VOLUNTÁRIO DE IMPLEMENTAÇÃO DO ACAP.

JUNHO DE 2006

JUNHO DE 2006

SETEMBRO DE 2006

II REUNIÃO DO COMITÊ ASSESSOR DO ACAP, EM BRASÍLIA.

Em Brasília, ocorreu a II Reunião do Comitê Assessor do Acordo para Conservação de Albatrozes e Petréis, conhecida como AC2/ACAP. Foi organizada pela Coordenação de Fauna Silvestre do Ibama, na época liderada pelo Dr. Onildo Marini, e sua importância estava em colocar o tema da conservação na pauta dos diversos órgãos envolvidos. O Brasil, apesar de muito ativo no ACAP, ainda não era membro efetivo – não havia ratificado a proposta do Acordo. A reunião foi também importante por ter marcado o lançamento do Planacap internacionalmente.

DEZEMBRO DE 2006

O PROJETO ALBATROZ É SELECIONADO NO SEGUNDO EDITAL DO PROGRAMA PETROBRAS AMBIENTAL, TENDO CONCORRIDO COM OUTROS 850 PROJETOS.

Quando idealizado, o Projeto Albatroz se inspirou em algumas iniciativas de conservação marinha de grande sucesso no Brasil, como os projetos Tamar, Baleia Jubarte e Golfinho Rotador, todos patrocinados pelo Programa Petrobras Ambiental. Era portanto uma meta do Projeto Albatroz conseguir o patrocínio da Petrobras; com essa parceria, o Projeto poderia alçar voos muito mais altos para atingir seus objetivos. O Projeto Albatroz participou do segundo edital do Programa Petrobras Ambiental e foi selecionado, tendo concorrido com mais de 850 iniciativas. O patrocínio permitiu alcançar vários resultados importantes, entre eles o fortalecimento das ações de educação ambiental para os pescadores, tanto nos portos quanto no mar, e o avanço das pesquisas para incrementar medidas de proteção às aves. Ao final do primeiro contrato, a Petrobras convidou o Projeto Albatroz para continuar a parceria, e o patrocínio se encontra em pleno vigor, gerando cada vez mais resultados para o desenvolvimento socioambiental das regiões onde atua.

O PROJETO ALBATROZ PROMOVE O I FÓRUM DE PESCADORES SUL-AMERICANOS PARA REDUZIR A CAPTURA INCIDENTAL DE AVES MARINHAS, EM GUARUJÁ (SP).

DEZEMBRO DE 2006

9º CURSO DE OBSERVADORES DE BORDO DO PROJETO ALBATROZ.

MAIO DE 2007

DEZEMBRO DE 2008

JANEIRO DE 2007

O PROJETO ALBATROZ E PESCADORES ENVIAM CARTA À SEAP (ATUAL MINISTÉRIO DA PESCA E AQUICULTURA) E AO IBAMA PARA PEDIR A PUBLICAÇÃO DE LEI QUE OBRIGUE AO USO DE MEDIDAS DE PROTEÇÃO ÀS AVES NOS BARCOS.

Com a assinatura de dez pescadores, mestres de pesca, empresários e representantes do Projeto Albatroz, enviou-se à Seap (atual Ministério da Pesca e Aquicultura) e ao Ibama a proposta de criar uma lei nacional para o uso de medidas de mitigação que reduzissem a captura incidental de aves. A proposta já estava entre as ações previstas no Planacap; assim, era obrigação governamental elaborar normas para o emprego das medidas. O Projeto Albatroz fez então um esboço de como seria essa lei e foi, de porto em porto, colhendo a opinião dos principais mestres e empresários parceiros. O resultado foi encaminhado a Brasília, com o pedido de que publicassem a lei o quanto antes. Essa seria uma lei construída a partir da base, numa ação conjunta entre pescadores e ambientalistas para o bem comum.

O BRASIL RATIFICA O ACAP E TORNA-SE MEMBRO EFETIVO DO ACORDO.

O Brasil foi signatário do Acordo para a Conservação de Albatrozes e Petréis (ACAP) já na primeira rodada de assinaturas, em 2000, mas o processo de ratificação se mostrou muito longo. O país enfim se tornaria membro efetivo em julho de 2008, e a ratificação acabaria entrando em vigor só em dezembro daquele ano. Antes disso, o processo passou por consulta interministerial; precisou ser aprovado pela Câmara dos Deputados, transitando por diversas bancadas; aguardou a aprovação do Senado Federal. Na ocasião estiveram presentes o Presidente do ICMBio na época, Dr. Rômulo Melo, Assessor para Assuntos Parlamentares do Ministério do Meio Ambiente, Sr. Ronaldo Peixoto Alexandre e também o Sr. Guilherme Schidt, do Ministério da Pesca além da representante do Projeto Albatroz, Tatiana Neves, entre outros parceiros. Após a votação a participação do Brasil no ACAP foi então ratificada pelo Presidente da República.

O PROJETO ALBATROZ ASSINA
CONVÊNIO COM O MINISTÉRIO
DA PESCA E AQUICULTURA
PARA DESENVOLVER MEDIDAS
MITIGADORAS E PADRONIZAR
OS BANCOS DE DADOS SOBRE
CAPTURA INCIDENTAL.

DEZEMBRO DE 2009

ABRIL DE 2010

APRIMORADO O DESENHO DO TORILINE, EM MODELO A SER PADRONIZADO.

Uma vez entendido que o toriline de fitas curtas se mostrava tão efetivo quanto os torilines internacionais e era apropriado às embarcações brasileiras, o Projeto Albatroz tratou de desenvolver um desenho para seu uso em larga escala. Analisou-se o comprimento e os materiais das linhas, testou-se e definiu-se um modelo de dispositivos de arrasto para manter o cabo esticado, determinou-se a posição e a altura ideais dos postes. O desenho do equipamento foi estudado detalhadamente, portanto, e o Projeto Albatroz pôde assim apresentar às empresas pesqueiras e ao governo nacional um desenho-padrão.

COMPROVADA A IGUAL EFICÁCIA DO TORILINE DE FITAS CURTAS QUANDO COMPARADO AO MODELO ESTRANGEIRO, DE FITAS LONGAS.

Desde que foi apresentado nos fóruns internacionais, o toriline concebido pelo Sr. José Ventura e aprimorado em diversas pesquisas conjuntas por mestres de embarcação e pelo Projeto Albatroz encontrou certa resistência da parte de alguns especialistas – o que impedia que o aceitassem globalmente como medida mitigadora efetiva. Essa resistência se deu pelo fato de que, em vez de tiras longas e pesadas que tocam a superfície do mar e criam um aparente bloqueio à passagem das aves, o toriline brasileiro possui fitas curtas e coloridas que balançam ao vento, afugentando as aves mas não as impedindo de passar por baixo do toriline se assim quiserem. Essa diferença conceitual causou muita discussão até que, em 2010, o Projeto Albatroz e o programa Albatross Task Force desenvolveram uma pesquisa comparativa dos dois tipos de toriline. Verificou-se que, no referente à redução do número de interações entre as aves e os anzóis iscados, o toriline de fitas curtas é tão efetivo quanto o de fitas longas. E, devido ao baixo peso do material do toriline proposto pelo Brasil, sua parte aérea alcança atrás da embarcação uma distância que vai além da área protegida pelo modelo de fitas longas. Fora isso, o toriline mais leve se mostrou mais fácil de manejar e apresentou menor risco de enroscamento com o material de pesca.

NOVEMBRO DE 2010

RENOVADO O CONTRATO DE PATROCÍNIO COM A PETROBRAS, POR MEIO DO PROGRAMA PETROBRAS AMBIENTAL.

Com a reedição do patrocínio da Petrobras, o Projeto Albatroz pôde dar continuidade às ações de pesquisa voltadas para a conservação das aves marinhas. Os anos de 2011 e 2012 foram importantes na consolidação, em âmbito tanto nacional quanto internacional, das medidas mitigadoras desenvolvidas e aprimoradas. O período foi marcado também pelo fortalecimento das ações pedagógicas, com o início do Programa de Educação Ambiental "Projeto Albatroz na Escola" e de diversas outras ações de comunicação. O objetivo era levar ao público a informação sobre a importância dos albatrozes e de sua conservação e fortalecer a imagem do Projeto em suas áreas de

atuação. Entre as ações realizadas, estavam exposição de fotografia, mostra de vídeo socioambiental, participação em eventos e a elaboração de documentário sobre o Projeto. Mas o destaque dentre todas as iniciativas foi o show do cantor e compositor Lenine para comemorar os 22 anos do Projeto Albatroz. Planeja-se que, no futuro próximo, essas ações sejam ampliadas para mais cidades, incrementando o conhecimento do público sobre a conservação dos albatrozes e petréis.

MAIO DE 2011

AGOSTO DE 2011

O ACAP INSERE O TORILINE DE FITAS CURTAS, DESENVOLVIDO NO BRASIL, NA LISTA DE MEDIDAS MITIGADORAS PRIORITÁRIAS.

Para a aceitação internacional do toriline de fitas curtas, era necessário que ele fosse avaliado e referendado pelo Grupo de Trabalho de Capturas Incidentais do ACAP – o mais conceituado conjunto de especialistas em medidas de prevenção. Ter o aval desse grupo significa ter a aprovação do ACAP, e isso é importante para que os países possam legislar sobre medidas comprovadamente eficazes na redução da captura de albatrozes e petréis. Durante a VI Reunião do Comitê Assessor (AC6/ACAP), em Guayaquil (Equador), deu-se pela primeira vez a apresentação de resultados comparativos do toriline de fitas longas e do toriline de fitas curtas. Apresentou-se também um trabalho semelhante feito pelo Uruguai, que utiliza o toriline de fitas mistas, cujo desenho se assemelha muito ao do toriline brasileiro. Juntos, o Brasil e o Uruguai defenderam que seus torilines fossem adotados, definitivamente, pelo ACAP e incorporado ao seu guia de boas práticas. O Acordo se viu convencido da eficácia desses dispositivos e os adotou como medidas de mitigação prioritárias para embarcações com menos de 35 metros de comprimento – o tamanho típico da frota sul-americana.

ABRIL DE 2011

PUBLICADA A INSTRUÇÃO NORMATIVA INTERMINISTERIAL (MMA/MPA) Nº 4, SOBRE A OBRIGATORIEDADE DO USO DE MEDIDAS MITIGADORAS NO BRASIL.

A regulamentação do uso de medidas mitigadoras para a captura de aves marinhas na pesca com espinhel no Brasil é não apenas uma meta desejável e necessária, mas também um dos principais objetivos do Planacap e, portanto, uma obrigação nacional. Após várias consultas e propostas, o Ministério do Meio Ambiente e o Ministério da Pesca e Aquicultura publicaram a Instrução Normativa Interministerial nº 4, de 15 de abril de 2011. Ela se aplica a todos os barcos que pescam em águas brasileiras abaixo dos 20 graus de latitude sul (aproximadamente ao sul da cidade de Vitória, ES) e torna obrigatórios tanto o uso do toriline quanto o regime de pesos de sessenta gramas a não mais que dois metros dos anzóis.

Essa normativa, que representa grande avanço na conservação de albatrozes e petréis, teve por base estudos que o Projeto Albatroz realizou junto com pescadores da frota nacional de espinhel. Eles chegaram ao desenho ótimo do toriline e comprovaram, mediante pesquisa científica, que a mudança na posição do peso não afeta a captura do pescado.

DURANTE REUNIÃO EM ISTAMBUL, TURQUIA, A ICCAT APROVA RECOMENDAÇÃO PARA O USO DE MEDIDAS MITIGADORAS NO ATLÂNTICO SUL.

Depois de vários anos apresentando resultados de pesquisa do Projeto Albatroz nas reuniões da ICCAT (principalmente ao Subcomitê de Ecossistemas), o Brasil preparou uma proposta de medidas de mitigação a serem adotadas, mediante recomendação da Comissão, em todos os barcos que pescam no Atlântico Sul.

Na XXII Reunião Regular da ICCAT, em Istambul, o Brasil apresentou a proposta. Ela foi então juntada a outra, similar, preparada pela União Europeia, e de imediato se conseguiu a adesão de mais países, como a África do Sul, Uruguai e Reino Unido, fortalecendo a proposta conjunta. Esta foi apresentada e discutida com os países asiáticos (entre eles China, Taiwan e Coreia do Sul, liderados pelo Japão) e finalmente aprovada como Recomendação ICCAT 09/2011, para entrar em vigor em 2013. A Recomendação 09/2011 indica o uso conjunto de no mínimo duas das três medidas propostas para barcos em operação de pesca abaixo dos 25 graus de latitude sul: (1) toriline, com fitas longas para barcos com mais de 35 metros ou com fitas curtas ou mistas para barcos com menos de 35 metros; (2) largada noturna dos espinhéis; (3) regime de peso adequado, com três possibilidades: pelo menos 45 gramas a não mais que um metro do anzol; 60 gramas a não mais que 3,5 metros; e 98 gramas a não mais que quatro metros.

Foi uma vitória para a conservação dos albatrozes em nível mundial, pois a Recomendação 09/2011 deverá refletir-se nas decisões das organizações de ordenamento pesqueiro que atuam em outros oceanos.

Delegação brasileira na ICCAT

INICIADO O TESTE DE NOVA E PROMISSORA MEDIDA PARA REDUZIR A CAPTURA DE AVES: O *HOOK POD* (OU "BANANINHA", COMO É CHAMADO PELOS PESCADORES).

No Brasil, com o apoio da Albatross Task Force, realizou-se o teste-piloto de uma nova medida mitigadora: o *hook pod*, que os pescadores brasileiros apelidaram "bananinha". É um equipamento bastante sofisticado, composto de uma cápsula que envolve a ponta do anzol antes que o pescador o jogue ao mar; essa cápsula impossibilita que as aves sejam fisgadas ao tentarem comer a isca. O equipamento é de plástico e tem mola,

lacrando a ponta do anzol até que se alcance uma profundidade de cerca de dez metros, quando, sob pressão da coluna de água, a cápsula se abre automaticamente e libera o anzol para fisgar as espécies-alvo das pescarias. Os testes agora se destinam a aprimorar ainda mais o equipamento que já pode ser produzido a custos acessíveis.

OUTUBRO DE 2012

INICIADO O PROGRAMA DE EDUCAÇÃO AMBIENTAL MARINHA "PROJETO ALBATROZ NA ESCOLA".

Trabalhar a educação ambiental – seja para as crianças e jovens, seja para o público em geral – sempre foi um objetivo do Projeto Albatroz. Desde o princípio, atuando muito focadamente na redução da captura das aves, o Projeto pretendia ampliar suas ações com um programa que levasse para as salas de aula informações sobre a importância de preservar os oceanos e a biodiversidade marinha.

Com a renovação do contrato de patrocínio com a Petrobras, foi possível instalar o Programa de Educação Ambiental Marinha "Projeto Albatroz na Escola". Para tanto, elaboraram-se tanto materiais para professores e alunos quanto jogos e brincadeiras interativas monitoradas por equipe bem formada, para trabalhar primeiro com a capacitação dos professores e depois com as crianças, trazendo-lhes um pouco da realidade dos oceanos.

O Programa vem sendo realizado em Santos, com muito sucesso, e o Projeto Albatroz pretende replicá-lo em outros municípios e estados.

PROJETO ALBATROZ É CONVIDADO A COMPOR A REDE BIOMAR: UM RECONHECIMENTO PELOS MUITOS ANOS DE TRABALHO E DEDICAÇÃO À PROTEÇÃO DA VIDA NOS OCEANOS.

Em novembro de 2012, o Projeto Albatroz foi convidado a compor o grupo de projetos que fazem parte da Rede Biomar, que reúne aqueles projetos patrocinados pelo Programa Petrobras Ambiental e integra o Planejamento Estratégico Integrado de Biodiversidade Marinha da Petrobras que, além dessa Companhia conta também com a participação do Ministério do Meio Ambiente e ICMBio. Essa iniciativa tem por objetivo a conservação da biodiversidade marinha no Brasil, atuando na proteção e pesquisa de espécies e de habitats relacionados. Atualmente, portanto, são parte da Rede Biomar cinco projetos: Tamar, Baleia Jubarte, Coral Vivo, Golfinho Rotador e Albatroz. A Rede foi criada em 2006, visando a promover a convergência das ações e contribuições para políticas públicas de conservação costeira e marinha e disseminação do conhecimento sobre as espécies trabalhadas e seus ecossistemas. A Rede Biomar integra os esforços de conservação marinha por meio do fortalecimento das instituições que a compõem e da capacidade que elas têm para articular ações de pesquisa, manejo, conservação, educação ambiental, capacitação profissional e envolvimento socioambiental.

NOVEMBRO DE 2012

NAVEGANDO
PELOS MARES DA
CONSERVAÇÃO

Apesar do tamanho, os albatrozes voam velozmente impulsionados pelos ventos e executam ágeis manobras de voo. Na página anterior, o albatroz-de-bico-amarelo-do-atlântico, com cerca de 2 m de envergadura. Acima, os petréis-gigantes, que são a única espécie de petréis que se assemelham em tamanho a algumas espécies de albatroz.

MENSAGEIROS DOS OCEANOS

Quando as pessoas pensam no mar, imaginam uma faixa muito estreita, próxima à costa – o mar que elas enxergam com os próprios olhos. Assim, quando falamos de aves marinhas, a primeira e quase única coisa que nos vem à cabeça é uma gaivota. Isso se dá porque, de modo geral, as diversas espécies de aves oceânicas são muito pouco vistas e muito pouco conhecidas pela população. É algo que acontece não só com as aves, mas também com os outros animais que vivem no mar, o qual cobre a maior parte do planeta e é um dos ambientes em que se encontra maior taxa de biodiversidade.

ALBATROZES E PETRÉIS, AVES ADAPTADAS À VIDA NOS OCEANOS

O albatroz é uma ave oceânica. Passa a maior parte da vida em mar aberto, voando sobre ele ou pousado na água, sem visitar costas ou ilhas. O albatroz tem muitas adaptações para suportar esse estilo de vida mesmo em condições extremas de frio, vento e tempestade. A começar pelas asas, que são sua identidade principal: dentre as aves do mundo, ele possui a maior envergadura. Muitos pensam ser o condor a ave com maiores asas. De fato, o condor chega a ter mais de três metros da ponta de uma asa à outra; ainda assim, é menor que o albatroz-viajeiro, que chega aos 3,5 metros de envergadura.

Numa visão geral, o albatroz é uma ave esbelta, pois possui desenho de asa estreita e muito longa que, junto a um corpo delgado, lhe confere formato aerodinâmico, ótimo para uma ave planadora. Dessa maneira, o albatroz tem a capacidade de se deslocar por enormes distâncias, fazendo suas longas jornadas oceânicas quase sem bater asas e, assim, economizando muita energia. O albatroz usa de forma inteligente a rica e limpa energia dos ventos, cuja imenso potencial o homem só agora está descobrindo de fato.

A coloração da plumagem do albatroz e de outras aves marinhas, como os petréis e pardelas, é discreta, geralmente com partes brancas, negras, acinzentadas ou pardas. Não há diferenças notáveis entre machos e fêmeas, mas há entre as faixas etárias. Albatrozes jovens tendem a ser mais escuros, ficando cada vez mais brancos com o avançar dos anos. A plumagem é espessa e impermeável, formando um colchão de ar ao redor do corpo e mantendo-o quente e seco até mesmo no ambiente antártico – habitat comum da maior parte dos albatrozes. Tal camada de ar proporciona também flutuação, e por isso os albatrozes não são bons mergulhadores,

Na primeira imagem da página anterior, albatroz-viajeiro possui as maiores asas dentre todas as aves, apresentando 3,5 m de envergadura. Abaixo, a plumagem espessa e impermeável dos albatrozes mantém seus corpos quentes e secos, como se estivessem envolvidos por uma bolha de ar quente, e também lhes confere alta flutuabilidade, como pode ser notado nestes albatrozes-de-sobrancelha-negra.

A plumagem dos albatrozes também é responsável por conferir curvas suaves e aerodinâmicas ao corpo das aves, além de ser elemento fundamental para a conformação das asas longas, estreitas e compactas. Nesta foto, um albatroz-real-do-norte.

já que precisam fazer grande esforço para submergir. O **albatroz-de-sobrancelha-negra**, por exemplo, mergulha até no máximo cinco metros de profundidade; o albatroz-viajeiro, a menos de um metro. Isso os faz depender das presas disponíveis nas camadas mais superficiais do oceano.

A plumagem dos albatrozes também é a responsável por manter o contorno suave de seus corpos aerodinâmicos. Penas organizadas e impermeáveis são questão de sobrevivência. Já penas encharcadas são letais, pois causam hipotermia e impedem o voo. Por isso, tais aves têm a permanente tarefa de espalhar sobre o corpo uma fina e imperceptível camada da secreção impermeabilizante que é produzida por uma glândula sobre a cauda. É comum ver albatrozes e outras aves oceânicas alisarem as penas com o bico. Quando se aproximam tempestades oceânicas, os albatrozes nitidamente intensificam os cuidados com a plumagem – sinal de alerta de mau tempo para pescadores e navegadores antes mesmos de seus barômetros acusarem a entrada das frentes frias.

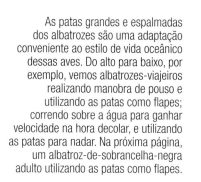

As patas grandes e espalmadas dos albatrozes são uma adaptação conveniente ao estilo de vida oceânico dessas aves. Do alto para baixo, por exemplo, vemos albatrozes-viajeiros realizando manobra de pouso e utilizando as patas como flapes; correndo sobre a água para ganhar velocidade na hora decolar, e utilizando as patas para nadar. Na próxima página, um albatroz-de-sobrancelha-negra adulto utilizando as patas como flapes.

Para apanhar o alimento, geralmente liso e escorregadio, o albatroz tem bico em forma de gancho. Longo e robusto, o bico do albatroz – assim como o dos petréis, aves marinhas que, juntamente com os albatrozes, formam a ordem dos Procelariiformes – é coberto de placas córneas e possui narinas em forma de tubos. A função das narinas tubulares não é completamente conhecida, mas acredita-se ter relação com o excelente olfato que albatrozes e petréis possuem – ao contrário da maioria das aves, nas quais o olfato é pouco desenvolvido. Um faro apurado é adaptação crucial para detectar o escasso alimento sobre a vasta superfície do mar. A narina tubular é característica exclusiva desse grupo de aves. Assim, se você encontrar uma ave marinha, observe se ela tem ou não tubos nas narinas. Pronto! Você já sabe diferenciar os albatrozes e petréis das demais aves.

As patas dos albatrozes também são adaptadas a esse estilo incomum de vida. Grandes e providas de membranas fortes e largas entre os dedos, elas lhes permitem correr sobre as águas, manobra utilizada comumente para decolar da superfície do mar. As grandes patas também lhes possibilitam nadar pousados na superfície (da mesma forma que fazem outras aves aquáticas) e ainda auxiliam no voo, tanto na frenagem para o pouso quanto em manobras aéreas em que os albatrozes as utilizam como flapes.

Na página anterior, os albatrozes, apesar de elegantes e impecáveis em seu voo planado, são um tanto desajeitados quando estão em terra, visto que as pernas curtas com patas espalmadas, muito úteis para nadar e voar, não são muito eficientes para caminhar no solo. Acima, um albatroz-negro, encontrado debilitado na praia, repousa no Centro de Reabilitação de Animais Marinhos do Instituto Argonauta em Ubatuba (SP) antes de voltar para o mar.

Albatrozes são exímios voadores. Planam com elegância entre as ondas do mar, subindo e descendo, sempre ao sabor dos ventos da superfície marinha. Riscam a superfície da água com a ponta das asas, parecendo divertir-se com isso. Enquanto estão voando sobre o mar, essas aves encantam com sua graça e beleza. Em terra, ao contrário, são um tanto desajeitadas porque as patas, adaptadas para nadar e voar, mostram-se pouco eficientes para caminhar, pois ficam atrás do centro de gravidade dos albatrozes. Isso exige certo esforço para manter-se de pé, e é comum ver albatrozes sentados sobre as pernas. As asas, muito longas e articuladas, também não ajudam na tarefa de manter-se em terra, o que ocorre somente para reprodução. Por esses motivos, o albatroz necessita de forte vento e boa pista de decolagem para alçar voo. Pousos desastrosos, atropelando outros ninhos ou caindo de cara no chão, são frequentes. Assim, o albatroz procura fazer ninhos em falésias e penhascos, de onde pode simplesmente se lançar ao ar para, aliviado, voar livre sobre o oceano.

Você já se perguntou como as aves marinhas bebem água se passam a vida toda sobre o mar? Esses animais retiram dos peixes e outras presas das quais se alimentam parte da água necessária para a sobrevivência. Mesmo assim, a quantidade de sal ingerida é elevada e, como em qualquer outro ser vivo, deve ser regulada para manter o equilíbrio do organismo. Na maior parte dos animais, essa função cabe aos rins. Os rins dos albatrozes são grandes e bem desenvolvidos, o que significa que são muito ativos; mas, sozinhos, não conseguem resolver o problema. Para tanto, as aves marinhas possuem um par de órgãos auxiliares – as glândulas de sal, localizadas em cavidades cranianas logo acima dos olhos. Tais glândulas excretam uma solução salina que é expelida pelas narinas, escorrendo e gotejando da ponta do bico. Por isso é tão comum vermos imagens de albatrozes com gotas penduradas ali.

Os albatrozes são aves majestosas e elegantes e o albatroz-de-bico-amarelo-do-atlântico é uma das espécies que mais impressiona pela sua beleza.

A grande maioria das espécies de albatroz vive nos oceanos meridionais. Entretanto, a migração, o tempo e o local de reprodução variam de espécie a espécie. As ilhas Malvinas-Falklands, o arquipélago de Tristão da Cunha e a ilha Gough, no Atlântico Sul, e o arquipélago da Geórgia do Sul, na região subantártica, são locais de reprodução de algumas espécies que ocorrem no Brasil. Um exemplo é o **albatroz-viajeiro**, que se reproduz na ilha Bird, na Geórgia do Sul. Após o término do período reprodutivo, essa ave migra para o oceano Pacífico, passando pelo Índico, e depois volta para o Atlântico para nova fase reprodutiva, completando o giro ao continente antártico. De maneira inversa, o **albatroz-real-do-sul** e o **albatroz-real-do-norte** se reproduzem exclusivamente nas ilhas da Nova Zelândia e, após a temporada de reprodução, migram para o oceano Atlântico, visitando a costa do Brasil depois que circundam a Antártica em sua viagem planetária. Essas incríveis jornadas se fazem em geral aproveitando as constantes correntes de vento que sopram de oeste para leste ao redor do continente gelado. É uma verdadeira *freeway*, utilizada por milhares de aves para se deslocar de um lado a outro da Terra. Para estudarem os movimentos dos **albatrozes-de-cabeça-cinza** que se reproduzem na ilha Bird, pesquisadores rastrearam essas aves por satélites e descobriram que

Os albatrozes visitam terra firme somente para se reproduzir. O albatroz-de-sobrancelha-negra, espécie mais abundante no Brasil, possui sua maior colônia na ilha Steeple Jason, no arquipélago da Malvinas/Falkland. Cerca de 200 mil casais se reproduzem anualmente nessa colônia e cerca de 400 mil em todo o arquipélago.

elas, no intervalo de dezoito meses entre uma reprodução e outra, chegam a dar duas voltas ao mundo. Um espécime circunavegou o planeta em 46 dias! O **albatroz-de-sobrancelha-negra** se reproduz nas ilhas da Geórgia do Sul e nas Malvinas-Falklands, e ambas as populações frequentam a costa do Brasil. Já o **albatroz-de-tristão**, o **albatroz-de-nariz-amarelo-do-atlântico** e a **pardela-de-óculos** se reproduzem exclusivamente no arquipélago de Tristão da Cunha e na ilha Gough, localizados no centro-sul do Atlântico, entre o Brasil meridional e a África. Tais populações, por serem reduzidas e se reproduzirem exclusivamente em determinadas ilhas, são muito sensíveis a impactos causados pelo homem. Nesses casos, os impactos afetarão a população como um todo, e a chance de as espécies desaparecerem é muito grande. O albatroz-de-tristão, por exemplo, é uma *espécie criticamente ameaçada de extinção (critically endangered)*, o que, na classificação estabelecida pela União Internacional para a Conservação da Natureza (IUCN), é o grau mais alto de ameaça. É enorme a responsabilidade do Brasil para evitar que essas e outras aves se extingam, tendo em vista que as águas territoriais do sul do país representam uma das principais áreas de alimentação de tais espécies.

Um albatroz-negro, espécie rara no Brasil, plana serenamente sobre águas oceânicas ao largo do Rio Grande do Sul, onde encontra-se a maior diversidade de albatrozes e petréis nas águas territoriais brasileiras.

Das espécies que ocorrem na costa do Brasil e águas adjacentes, talvez a mais recentemente registrada como visitante frequente seja o **albatroz-de-capuz-branco**, cuja área de reprodução está confinada à Nova Zelândia. Junto com as duas espécies de albatroz-real que passam pelo Brasil (também provindas da Nova Zelândia), esses parecem ser os migrantes de origem mais distante. Há algumas espécies que nos visitam mais esporadicamente, como o **albatroz-do-manto-claro** e o **albatroz-negro**, duas aves magníficas que se reproduzem em ilhas subantárticas e, no caso do albatroz-negro, em Tristão da Cunha e na ilha Gough.

Das 22 espécies de albatroz, três se reproduzem nas ilhas do Pacífico Norte. São elas o **albatroz-de-laysan**, o **albatroz-dos-pés-pretos** e o raro **albatroz-de-cauda-curta**, que se reproduz no atol de Midway e em Toroshima (ilha na costa japonesa onde se encontra um vulcão ativo que ameaça permanentemente a sobrevivência da colônia). Há ainda o **albatroz-ondulado**, das Galápagos, considerado o mais "tropical" dentre todos os albatrozes. As demais espécies estão concentradas no hemisfério sul, como o **albatroz-de-amsterdã** e o **albatroz-de-nariz-amarelo-do-índico**, os quais habitam o oceano Índico; e o **albatroz-dos-antípodas**, cuja distribuição se restringe ao Pacífico. As demais espécies são o **albatroz-de-campbell**, o **albatroz-arisco**, o **albatroz-de-chatham**, o **albatroz-de-salvin** e o **albatroz-de-bulleri**, todos com áreas reprodutivas na Austrália meridional ou na Nova Zelândia e com distribuição pelo Pacífico e/ou Índico, não alcançando o Atlântico Sul-ocidental e, portanto, não ocorrendo no Brasil.

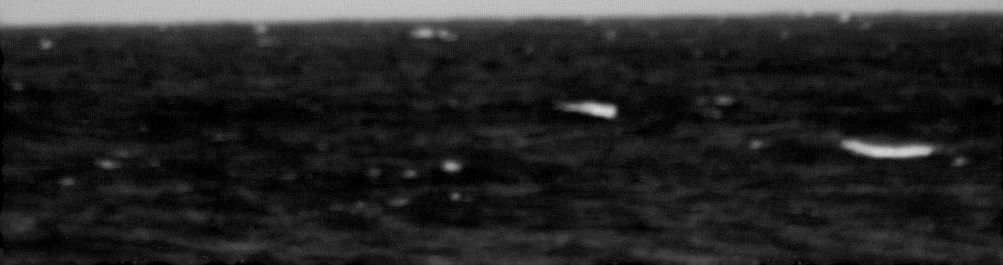

Na página anterior, está a pardela-preta, uma das espécies que se reproduz na região subantártica e é muito abundante no Brasil; também é uma das espécies mais capturadas pelos espinhéis devido a sua habilidade para mergulhar e alcançar os anzóis iscados enquanto estão afundando.

Acima, petréis-gigantes-do-norte disputam agressivamente as vísceras de peixes lançadas ao mar por um barco de espinhel pelágico. Disputas por descartes da pesca são comuns ao redor dos barcos de pesca, nas quais as espécies maiores levam vantagem.

A distribuição dos albatrozes – e de todas as espécies marinhas de maneira geral – é regida pela ocorrência das presas, que por sua vez é influenciada pelas correntes marinhas e pelas características oceanográficas destas, tais como temperatura, salinidade e, principalmente, pela abundância de nutrientes. Nos oceanos, existem regiões onde a vida é mais favorável que em outras. As áreas ao largo da costa sul e sudeste do Brasil, por exemplo, recebem a influência da corrente fria e rica em nutrientes que se desloca da região antártica. Conhecida como corrente das Malvinas, ela é responsável pela presença de águas antárticas e subantárticas na costa brasileira. Ali, essas águas se encontram com a corrente do Brasil, que, vinda do norte, é mais quente e menos rica em nutrientes. O encontro das duas correntes e o aporte da rica água doce que é despejada no mar pelo estuário da Lagoa dos Patos, no Rio Grande do Sul, e do Rio da Prata, entre o Uruguai e Argentina, acabam gerando características que propiciam o desenvolvimento da vida marinha. Naquela região, existe abundância de alimento para o albatroz e, por isso, grande concentração de diversas espécies.

Estima-se que os albatrozes, sobretudo as espécies maiores, podem chegar a viver oitenta anos. Para saber precisamente a idade de um albatroz, é necessário que o filhote, logo depois de nascer, ganhe uma anilha – espécie de anel metálico ou plástico que identifica determinada ave, permitindo que os pesquisadores a acompanhem toda vez que retorna à colônia para se reproduzir. Desse modo, foi possível registrar uma fêmea de albatroz-real-do-norte que, nascida na década de 1920, se reproduziu até os 61 anos. Conhecida como Grandma ("Vovó") pelos pesquisadores que a acompanharam nos ninhais de Taiaroa Head (Nova Zelândia), foi vista pela última vez em meados da década de 1990, quando saiu em viagem de alimentação e não retornou.

Ao lado, um albatroz alimenta o filhote. Os albatrozes adultos se alimentam no mar e trazem porções de alimento (lulas e peixes) semidigeridos para os filhotes, os quais esperam pacientemente no ninho pelo retorno dos pais.

Na imagem seguinte, um casal de albatrozes. Quando um casal se forma, dura para a vida toda. Ambos os adultos se revezam na incubação do ovo e na guarda e alimentação do filhote. Enquanto um está no ninho, o outro está no mar em busca de alimento. O encontro entre os adultos acontece somente na troca de turno, durante breves momentos.

Uma fêmea de albatroz-de-laysan, batizada Wisdom ("Sabedoria"), nasceu em 1951 no atol havaiano de Midway, que faz parte do Papahãnaumokuãkea Marine National Monument, no Pacífico Norte. Mais idoso albatroz vivo registrado, Wisdom está em plena forma aos 62 anos, reproduzindo-se a cada ano e produzindo filhotes fortes e saudáveis.

Apesar de viverem muitos anos, os albatrozes iniciam tardiamente a fase reprodutiva. Dependendo da espécie, a idade de primeira reprodução pode variar entre os sete e os treze anos. Há espécies que se reproduzem anualmente; mas em alguns casos, como o do albatroz-viajeiro, o acasalamento ocorre a cada dois ou três anos. Isso acontece porque o tempo para a reprodução, desde a postura do ovo até o momento em que o filhote aprende a voar e buscar sozinho o alimento, corresponde a um ano inteiro. Toda essa atividade implica grande gasto de energia, fazendo que os adultos reprodutores tenham necessariamente de passar por um intervalo (de no mínimo mais um ano inteiro) para se alimentarem e se recomporem para nova reprodução. Tal estratégia reprodutiva resulta em filhotes robustos, com forte chance de sobrevivência, mas gera poucos descendentes. A baixa taxa de fecundidade faz que essas espécies sejam vulneráveis a impactos impostos pelas atividades humanas, principalmente a mortalidade resultante da interação com pescarias de alto-mar. Durante a reprodução, macho e fêmea se revezam para chocar o ovo e alimentar o filhote. Enquanto um adulto fica no ninho, o outro parte para o mar em longas jornadas à cata de alimento – percursos que, no caso do albatroz-viajeiro durante o período de incubação, podem durar até um mês. Adultos dessa espécie em reprodução nas ilhas Geórgia do Sul são frequentes ao largo do Brasil meridional. Em busca do alimento, eles perseguem barcos de pesca, para então retornarem ao ninho e substituírem o parceiro na incubação do ovo ou nos cuidados com o filhote. Muitas vezes, durante a jornada, essas aves se alimentam das iscas utilizadas na pesca com espinhel, o que acarreta alto risco de serem apanhadas nos anzóis. Caso isso aconteça, são arrastadas para o fundo do mar e morrem afogadas. Aí, o parceiro que aguarda não terá escolha senão abandonar o filhote e sair para cuidar da própria sobrevivência. Morrem então dois albatrozes: um dos pais, preso no anzol da pesca oceânica; e o filhote, vítima ou de inanição, ou de predação por algum outro animal.

A plumagem dos filhotes enquanto estão no ninho é bem diferente da dos adultos e possui apenas a função de protegê-los do frio e demais intempéries, mas ainda não possui boa impermeabilização. Os filhotes de albatroz-de-sobrancelha-negra chegam a ficar maiores e mais pesados que seus pais. Nessa fase já podem ser deixados sozinhos no ninho enquanto ambos os pais buscam alimento no mar, uma vez que nenhum predador das ilhas onde nidificam consegue dar conta de animal tão corpulento.

AMEAÇAS: ALBATROZES E PETRÉIS SÃO MUITO SENSÍVEIS AOS IMPACTOS QUE O HOMEM CAUSA E, POR ISSO, ESTÃO DESAPARECENDO DO PLANETA

Esse drama se dá com muitas espécies. Das 22 espécies de albatroz, dezessete sofrem em algum grau o risco de extinção, e algumas delas estão em perigo crítico. Boa parte da redução populacional se deve à interação com os barcos pesqueiros do mundo todo.

A população do albatroz-viajeiro que se reproduz na ilha Bird (Geórgia do Sul) diminuiu à metade (de 1600 para cerca de oitocentos casais) em quarenta anos, e o albatroz-de-bico-amarelo-do-atlântico teve 60% da população mundial dizimada em setenta anos.

A situação mais preocupante é do albatroz-de-amsterdã, que se reproduz exclusivamente na ilha de Amsterdã, parte do território francês no sul do Índico. Não mais que trinta casais se reproduzem a cada ano.

Na página anterior, o petrel-das-tormentas, um dos menores representantes da ordem dos albatrozes e petréis, possui apenas 40 cm de envergadura. Acima, o albatroz-de-bico-amarelo-do-atlântico possui mais de 2 metros de uma ponta da asa a outra.

Além da morte nos anzóis, a população de albatrozes sofre com a perda de área adequada para fazer ninhos, devido à introdução do gado, à predação de filhotes por ratos e gatos e, recentemente, a um tipo de infecção – todos impactos oriundos da ação humana. O albatroz-de-tristão, outra espécie em perigo crítico, é afetado não só pela pesca (estima-se que quinhentas aves morram por ano nos espinhéis), mas também pelos ratos que se instalaram nas ilhas onde se reproduz, os quais devoram aos poucos, noite após noite, os indefesos filhotes ainda vivos. Em setenta anos, o albatroz-de-tristão teve a população mundial reduzida em cerca de 80%, restando agora 1700 casais, que se reproduzem anualmente. É uma das espécies frequentes na costa do Brasil.

As bruscas mudanças no clima, a poluição dos mares, o despejo de lixo plástico e até fenômenos naturais como tsunâmis e vulcões ativos têm se mostrado fatores de muita preocupação para a sobrevivência de algumas espécies. Isso se aplica também a muitas espécies de petréis – que, assim como o albatroz, é ave oceânica que se reproduz, se alimenta e vive em lugares muito específicos.

Na página anterior, albatrozes e petréis agregam-se ao redor de uma embarcação de espinhel pelágico para alimentarem-se dos descartes de pesca ao largo do sul do Brasil. Acima, pardelas-de-óculos alimentam-se de restos de peixes descartados por uma embarcação de espinhel de fundo ao largo do sudeste brasileiro.

CAPTURA INCIDENTAL DE AVES MARINHAS NA PESCA COM ESPINHEL

Albatrozes e petréis migram de locais distantes para se alimentarem na costa do Brasil e em águas internacionais adjacentes, concentrando-se, principalmente, entre o extremo sul do país e o paralelo 20 de latitude sul, que passa próximo da cidade de Vitória (ES). Assim, é importante que não causemos impactos nessas áreas, pois eles acarretariam prejuízos para muitas espécies do ecossistema marinho, reduzindo a preciosa e desejável diversidade de formas de vida inseridas naquele delicado ambiente.

As espécies de que os albatrozes se alimentam são também presas naturais de peixes como atuns e espadartes. Esses peixes de grande porte têm valor comercial elevado e são espécies-alvo da pesca com espinhel. Os barcos que ali pescam e visam os grandes peixes usam como isca a cavalinha, a sardinha e a lula, que acabam também atraindo os albatrozes na busca por alimento.

Na sequência de imagens, um albatroz-de-sobrancelha-negra tenta arrancar a isca do anzol durante a largada do espinhel. Esse é o momento no qual se dá a captura das aves pelos barcos de pesca. Abaixo, albatrozes-de-sobrancelha-negra e pardelas-pretas capturados em um único lance de espinhel pelágico em uma noite de lua cheia sem o uso do toriline. Na próxima página, albatrozes-de-bico-amarelo-do-atlântico brigam pelos rejeitos da pesca recém-descartados no mar por uma embarcação de espinhel pelágico.

Tanto o albatroz como o ser humano são pescadores, e é inevitável o encontro dos dois em alto-mar, onde pescador-homem acaba acidentalmente pescando o pescador-ave.

A atração que esses barcos exercem sobre o albatroz – que está em seu habitat natural – é inevitável. As embarcações pesqueiras são invariavelmente acompanhadas por centenas de aves. Muitas vezes, as aves conseguem retirar a isca do anzol com sucesso, atrapalhando a pescaria humana. Mas, em alguns casos, acabam fisgadas, sendo então arrastados para o fundo junto com os anzóis restantes e afogando-se.

A interação com esse e outros tipos de pesca, em diversas partes dos oceanos, tem causado o declínio da maior parte da população mundial de albatrozes. É o fator mais preocupante no trabalho de conservação daquelas aves.

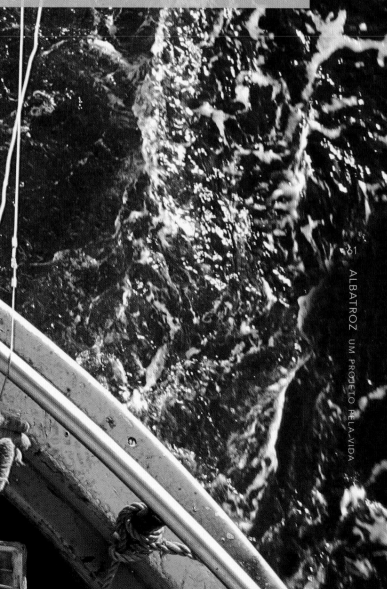

O QUE É ESPINHEL?

De maneira geral, o termo *espinhel* se refere a qualquer linha de pesca com vários anzóis. Se você pesca num bote com linha de vários anzóis, está utilizando espinhel. Mas a pescaria a que nos referimos neste livro é uma arte de pesca industrial, feita por embarcações de médio e grande porte que atuam a grandes distâncias da costa, podendo permanecer meses no mar. Essa atividade difere da arte de pesca artesanal, que geralmente é costeira e demanda apenas percursos de curta duração.

No Brasil, a pesca industrial com espinhel se faz com uma linha de náilon longa, provida de boias, que chega a oitenta quilômetros de comprimento (aproximadamente 45 milhas náuticas). Nessa linha principal, penduram-se linhas secundárias que têm grandes anzóis na ponta. O procedimento de largada é manual: o pescador coloca as iscas uma a uma nos anzóis e as joga ao mar pela popa da embarcação em movimento. Um espinhel pode ter entre oitocentos e 1200 anzóis.

Na pesca com espinhel pelágico o pescador, ao final da tarde, lança de 800 a 1200 anzóis com iscas manualmente que, por um período, permanecem próximos da superfície, atraindo muitas aves. Na foto acima, um grupo de aves disputa a isca "recheada" por um anzol.

A isca com anzol, após ser lançada pelo pescador, afunda lentamente e fica durante certo período próxima à superfície, atrás da embarcação, à disposição das aves que seguem o barco em busca de alimento. É o momento crítico, em que ocorre a captura incidental das aves. Depois a isca submerge para profundidades que variam entre sessenta e cem metros e que o albatroz – ou qualquer outra ave – é incapaz de alcançar.

Esse tipo de pesca com espinhel foi introduzido no Brasil pelos japoneses, no início do século 20. Em meados da década de 1990, sofreu modificações trazidas pelos pescadores norte-americanos da região do Havaí. Eles substituíram parte do equipamento japonês de pesca, composto de rolos de linha grossa e pesada, pelo monofilamento de náilon, uma linha mais leve, mais fácil de transportar e mais versátil para o trabalho a bordo. Tal pesca com espinhel é a que mais causa captura de albatrozes e petréis no Brasil. E é nessa pescaria que o Projeto Albatroz centra seus esforços para, junto com os pescadores, desenvolver medidas que reduzam a captura incidental.

A pesca com espinhel pelágico é a principal causa de mortalidade acidental em todo o mundo, mas no Brasil há outros tipos de pesca que merecem atenção. Na página anterior, imagem da pesca praticada pela frota pesqueira de Itaipava (ES), que possui mais de quatrocentos barcos e está espalhada ao longo da costa brasileira.

INTERAÇÃO DAS AVES MARINHAS COM OUTROS TIPOS DE PESCA

Entre outras técnicas pesqueiras que podem causar prejuízo às aves, estão os espinhéis utilizados pela frota de Itaipava, distrito do pequeno município de Itapemirim, no litoral sul do Espírito Santo. A frota, numerosa e versátil, atua em muitas regiões brasileiras e utiliza diversas técnicas. Sabe-se que algumas destas podem acarretar a captura de tartarugas e aves marinhas.

As redes de emalhe de fundo (para pescar o peixe-sapo), a pesca industrial com vara e isca viva, redes de arrasto e outras modalidades também podem causar impacto sobre as espécies ameaçadas. Estudos para aprofundar o conhecimento do efeito dessas e outras pescarias devem ser desenvolvidos

Preocupação especial é a presença de barcos estrangeiros que utilizam os espinhéis pelágicos para atuns e espécies similares em nossas águas. A grande capacidade pesqueira desses barcos pode provocar taxas de captura de albatrozes muito mais elevadas que as registradas nas frotas nacionais. Por conseguinte, é de fundamental importância que se garanta a utilização de medidas de conservação eficazes durante a operação de pesca desses barcos.

SURGIMENTO DO PROJETO ALBATROZ

O Projeto Albatroz nasceu no começo dos anos 1990, para buscar soluções para a captura incidental de albatrozes e petréis nas pescarias do Brasil. Quando se percebeu que o problema – já bem estudado por outros países – existia também aqui, o Projeto iniciou seu trabalho no Terminal Pesqueiro de Santos, com ajuda dos mestres de pesca, que passaram a registrar a captura de aves nas viagens em alto-mar. Estabeleceu-se igualmente o Programa de Observadores de Bordo do Projeto Albatroz, em que o pessoal selecionado e capacitado viaja nos barcos para estudar a interação com as aves e as possíveis soluções do problema.

Uma vez confirmado que a região oceânica em frente ao Brasil meridional e Uruguai é um dos principais pontos de captura de albatrozes e petréis no mundo, o Projeto estendeu seus esforços para além de Santos (SP), instalando-se em outros portos, como Itajaí (SC), Rio Grande (RS) e Itaipava (ES), desenvolvendo medidas de conservação nos barcos de pesca de espinhel daquelas regiões. O passo seguinte seria implementar essas medidas para evitar a captura incidental de espécies ameaçadas e garantir uma pesca menos nociva às aves.

Desde o princípio, o desenvolvimento de ações contra a captura é, em grande parte, realizado conjuntamente com os pescadores, que têm sido parceiros essenciais para aprimorar as medidas de proteção. O Projeto Albatroz busca desenvolver soluções fáceis, baratas e eficazes, mas é preciso um pouco de esforço e boa vontade dos pescadores para mudarmos a situação em que hoje se encontra a maioria das espécies de albatroz.

MEDIDAS DE MITIGAÇÃO

Ao longo de muitos anos, os pesquisadores e ambientalistas do mundo todo, cientes do problema que está levando muitas espécies à beira da extinção, vêm buscando desenvolver tecnologias ou simplesmente práticas de pesca que reduzam em grau significativo a captura de aves marinhas. O Projeto Albatroz e os pescadores trabalharam para adaptar tais ideias à realidade brasileira.

Dentre as medidas de mitigação, existem basicamente três tipos: aquelas, como o toriline, que afugentam as aves; aquelas, como a largada noturna, que reduzem a visibilidade; e aquelas, como a adoção de regimes de pesos nas linhas, que reduzem a disponibilidade das iscas às aves.

TORILINE – FITAS COLORIDAS QUE SERVEM DE ESPANTALHO MARINHO

O toriline – termo composto do japonês *tori*, "ave", e do inglês *line*, "linha" – nasceu de um trabalho realizado por pesquisadores australianos em barcos pesqueiros japoneses que operavam nos mares ao sul da Tasmânia. Na época, os pescadores japoneses já utilizavam um recurso rudimentar para afugentar as aves enquanto largavam o espinhel: arrastavam um cabo longo com uma bóia na ponta, para espantar as aves e, assim, evitar que elas roubassem as iscas. O anzol iscado afunda muito lentamente até atingir profundidades que as aves não alcançam ou em que perdem o interesse pela isca, e a boia as distraía durante esse intervalo crucial.

Dentre as medidas de mitigação à captura de aves marinhas, o toriline é o mais conhecido e aceito tanto pelos pescadores quanto pelos pesquisadores. Confeccionado com materiais simples e baratos é um equipamento de fácil utilização.

A ideia era boa, mas os australianos, para aperfeiçoar o sistema, pensaram em instalar um poste de aproximadamente oito metros de altura na popa, para que o cabo da boia fosse atado à extremidade e, dessa forma, ficasse em grande parte fora da água enquanto a porção final era arrastada na superfície. Para tornar ainda mais eficaz o dispositivo, anexaram-se na parte aérea do cabo, linhas ou tiras coloridas que tocavam a superfície da água, formando uma cortina que praticamente impedia o acesso às iscas quando estas estavam ainda perto do barco e ao alcance das aves. Desse modo, a proteção do toriline concentra-se nos cem primeiros metros atrás do barco, distância que deve ser suficiente para que a isca afunde e saia do alcance das aves.

Dentre todas as medidas mitigadoras conhecidas, essa é a mais eficiente e mundialmente aceita. Em nosso país, foi aprimorada pelo Projeto Albatroz, em conjunto com pescadores, e adaptada para os barcos brasileiros. Quando os pescadores tiveram acesso a vídeos, fotos e livros sobre o toriline utilizado nas pescarias antárticas, eles se interessaram e, usando materiais disponíveis nos almoxarifados de suas empresas de pesca, conceberam um toriline à brasileira. As linhas usadas pela antiga técnica de pesca japonesa, depois de substituídas pelo

O toriline de fitas curtas adotado no Brasil foi ideia de pescadores brasileiros e aprimorado a partir de pesquisas realizadas a bordo dos barcos de pesca.

monofilamento de náilon, haviam ficado estocadas aos montes nos galpões pesqueiros de todo o Brasil. Essas linhas, antes sem uso, passaram a compor o cabo principal do protótipo do toriline brasileiro, que também ganhou feixes de fitas coloridas de polipropileno (as mesmas usadas nas floriculturas para enfeitar buquês) em lugar das longas e pesadas tiras dos torilines estrangeiros. O modelo nacional, denominado *toriline de fitas curtas*, foi inicialmente proposto pelo mestre de embarcação José Ventura (que os pescadores conhecem simplesmente como Seu Zé), da empresa Kowalsky, na cidade catarinense de Itajaí.

O modelo do Seu Zé foi sendo adaptado e aprimorado no trabalho dos técnicos do Projeto Albatroz que, em muitas viagens em alto-mar, acompanharam os pescadores para testar e adaptar o toriline nas embarcações. Modificações e melhorias foram sendo incrementadas até chegar ao modelo atual, que tem cem metros de comprimento e se compõe de dois tipos de linha de monofilamento de náilon (com dois e três milímetros de espessura), mais trinta metros de um dispositivo de arrasto com fitas rígidas que fazem pressão ao final do cabo, mantendo-o esticado.

O toriline de fitas curtas, medida mitigadora brasileira, já está sendo adotado em outros países, como o Uruguai e o Chile. Graças à pesquisa científica realizada pelo Projeto Albatroz, esse modelo de fitas curtas ou mesmo mistas (curtas e longas) se mostrou tão eficaz quanto o de fitas longas e ainda melhor para as condições sul-americanas, devido ao menor custo de produção e ao menor porte dos barcos locais.

OUTRAS MEDIDAS PARA EVITAR A CAPTURA DAS AVES MARINHAS

Para que se protejam as aves, outras medidas devem ser utilizadas em conjunto com o toriline, como o peso nas linhas do espinhel (para que elas afundem mais rápido) e a largada noturna.

Após ser lançado pelo pescador, o anzol com isca afunda devagar, e essa velocidade varia segundo a configuração do equipamento de pesca e a maneira de lançá-lo na água. Garantir que os anzóis iscados afundem dentro da zona de proteção do toriline era, portanto, o segundo desafio. A solução óbvia seria aumentar o peso das linhas com anzóis, mas ela foi logo descartada, pois aumenta a probabilidade de acidentes a bordo, colocando em risco a segurança dos pescadores. No entanto, testes mostraram que posicionar o peso de sessenta gramas (já usado pelos pescadores) mais perto dos anzóis (dois metros, em vez dos cinco ou mais que eram usuais entre os pescadores brasileiros) já era suficiente para garantir que o afundamento dos anzóis fosse seguro para as aves.

Considerando que albatrozes não são bons mergulhadores, indo no máximo aos cinco metros de profundidade, verificou-se que, se a isca estivesse a dez metros de

Para que se possa reduzir efetivamente a captura, é necessária a utilização de outras medidas junto com o toriline. Na página anterior, a largada noturna do espinhel. Acima, um regime de pesos adequado afunda as linhas mais rapidamente e, assim, as retira o quanto antes do alcance das aves.

profundidade, já era suficiente para promover o desinteresse das aves (os petréis, mais hábeis para submergir, até alcançam entre doze e dezoito metros, mas se a isca estiver a dez metros, é suficiente para que eles fiquem desestimulados a buscá-la). Nesse sentido, a recomendação é que o toriline seja construído e posicionado de modo a proteger uma faixa até uns cem metros atrás da embarcação, durante o lançamento do espinhel, e que as iscas estejam a no mínimo dez metros de profundiade dentro dessa distância (antes, portanto, de perderem a proteção do toriline).

Para garantir a redução efetiva da captura das aves, é preciso utilizar conjuntamente várias medidas. Sabe-se que albatrozes e algumas outras espécies são menos ativos no período noturno. Por isso, recomenda-se que os espinheis sejam largados apenas durante a noite. Ressalte-se que essa medida não é eficaz por si só, pois existem espécies com hábitos noturnos de alimentação. Outra limitação se relaciona à presença de luzes no convés e às fases de lua cheia, com céu aberto. Aí, a claridade será suficiente para permitir a interação das aves com o espinhel.

A conclusão dos pesquisadores é que nenhuma das medidas mitigadoras, se adotada em separado, resolve o problema da mortalidade, mas que as três, quando utilizadas em conjunto, conseguem reduzir significativamente as capturas.

O Projeto Albatroz trabalha para desenvolver medidas para evitar a captura das aves e assim possibilitar que os albatrozes voem livres pelo oceano, como o grande albatroz-viajeiro na imagem da página seguinte.

COMO TRABALHA O PROJETO ALBATROZ

O Projeto Albatroz atua principalmente em três frentes: na **realização de pesquisas**; na **educação ambiental e mobilização social**; e no apoio ao desenvolvimento de **políticas públicas**. Todas essas atividades se voltam à conservação de albatrozes e petréis.

AÇÕES DE CONSERVAÇÃO ORIENTADAS POR PESQUISA CIENTÍFICA

As pesquisas se desenvolvem mediante monitoramento nos terminais de pesca, com visitas diárias aos portos de desembarque; e em alto-mar, para onde os pesquisadores vão a bordo das embarcações nas viagens de pesca.

Tais atividades são a essência do trabalho de conservação de albatrozes e petréis e vêm desde os primórdios do Projeto Albatroz. Da parte da organização, há grande esforço para que as amostragens jamais sejam interrompidas, pois isso acarretaria na sequência histórica de dados um intervalo que influenciaria os tratamentos estatísticos – com consequências desastrosas tanto no monitoramento das capturas de ave quanto nos estudos de eficácia das medidas de mitigação para evitá-las.

Ademais, as ações de pesquisa – quer nos portos, quer nos barcos – promovem contato muito próximo com o pescador, alimentando e fortalecendo cada vez mais uma particularíssima relação de cooperação e respeito mútuo. Desde o início, pescadores e mestres compreenderam que o Projeto, apesar de trabalhar com a conservação de espécies afetadas pela pesca, não tinha o intuito de punir, julgar nem acusar. Ao contrário, buscava em parceria uma solução positiva para todos. A confiança dos pescadores e essa ligação forte e duradoura talvez sejam o que de mais precioso o Projeto Albatroz tenha conquistado.

Nessa página e na anterior, as pesquisas e o desenvolvimento das tecnologias para reduzir a captura são realizados pelos técnicos do Projeto Albatroz nos portos e em alto-mar, com importante colaboração dos pescadores.

O vínculo entre o Projeto e os pescadores é mantido pelas visitas regulares aos pontos de embarque e desembarque. É para lá que os mestres de pesca trazem de suas viagens os chamados "mapas de bordo": formulários que são preenchidos a cada dia de pescaria e que contêm informações sobre local, número de anzóis utilizados, temperatura da água, aves capturadas e uso de medidas de mitigação, entre outros dados que permitem que o Projeto Albatroz, mesmo sem estar a bordo, possa estudar a interação das aves marinhas com a atividade pesqueira. É fundamental, portanto, que os técnicos que monitoram os portos estejam presentes toda vez que um barco inicia viagem e toda vez que ele regressa.

Ao longo do ano de trabalho, são também realizados cruzeiros de pesca com acompanhamento dos observadores de bordo do Projeto. Esses observadores são biólogos, oceanólogos ou engenheiros de pesca cuidadosamente selecionados e capacitados para coletar informações sobre a distribuição e abundância das aves nas diferentes regiões onde as frotas brasileiras atuam. É crucial saber quais espécies estão presentes nessas regiões, em qual época e em qual quantidade, como interagem com a pesca e quais fatores influenciam a captura.

Muitas vezes, algumas espécies seguem as embarcações em grande número e são pouco capturadas. Já outras espécies são mais capturadas mesmo estando em menor número.

A pesquisa busca entender a vulnerabilidade de cada espécie e cruzar essas informações com as de pesquisadores que trabalham nos ninhais. O objetivo é poder estudar a influência brasileira no declínio da maior parte das espécies ameaçadas de extinção.

Além desses estudos, a pesquisa de bordo se destina a desenvolver soluções tecnológicas que, se adotadas no cotidiano da pesca, evitarão a captura das aves ameaçadas. Pesquisas realizadas em situações reais de pesca trazem inúmeras vantagens na comparação com pesquisas realizadas em navios oceanográficos que apenas simulam determinada pescaria. Afora o realismo (permitindo compreendermos as dificuldades operacionais que os pescadores encontrarão com o uso da medida mitigadora testada), possibilita-se a interação com os mestres de pescas, que, com suas valiosas experiências de homens do mar, participam ativamente do desenvolvimento e aprimoramento das medidas. E a realização dos testes durante as operações de pesca acaba tendo caráter demonstrativo, o que muitas vezes resulta em estímulo para que se adotem aquelas medidas.

É notável que as atividades de pesquisa, tanto em terra como no mar, tenham um componente educativo intrínseco e evidente. De fato, todas as atividades de educação ambiental realizadas com foco no público principal – o pescador – são efetuadas ao mesmo tempo que se coletam dados científicos e se testam medidas mitigadoras.

Nessa página e na anterior, para realizar trabalho de educação ambiental, o Projeto Albatroz acompanha os desembarques do pescado e os cruzeiros em alto-mar e prepara materiais educativos, especialmente para informar os pescadores sobre a importância da conservação das aves marinhas.

EDUCAÇÃO AMBIENTAL MARINHA E MOBILIZAÇÃO SOCIAL

As atividades educativas voltadas para pescadores se realizam durante o monitoramento dos portos e em alto-mar. O Projeto Albatroz desenvolve materiais informativos e educacionais especialmente para esse fim. Para contextualizar e apoiar o trabalho corpo a corpo dos técnicos de campo, preparam-se folders, cartilhas, quadrinhos, calendários e vídeos, sempre buscando sensibilizar os pescadores para as ameaças aos albatrozes e a outras espécies marinhas. É importante ressaltar que, nessa relação, todos aprendem. Nela não existe a ideia de instrutor e aluno, e sim a troca de experiência e informação entre técnicos e pescadores com visões e conhecimentos diversos sobre a interação do homem com o universo marinho.

Já o trabalho de educação ambiental voltado para o público em geral tem outra linguagem. A abordagem e as estratégias adotadas são diferenciadas de acordo com o segmento visado. Por exemplo, os eventos e palestras, associados a outras importantes ferramentas de comunicação, são bastante utilizados para divulgar o Projeto Albatroz e levar a mensagem referente à conservação da biodiversidade, ao drama vivido pelas aves e às possíveis soluções para enfrentar a ameaça da extinção das espécies.

Nesse contexto, a educação ambiental vem atrelada à estratégia de comunicação, que, dependendo da atividade realizada, informa, sensibiliza, mobiliza ou capacita o público-alvo para que os indivíduos se tornem parte do processo, seja como multiplicadores, seja simplesmente como apoiadores das ações de conservação.

Os programas de educação ambiental visam aproximar os albatrozes de crianças, jovens e do público em geral por meio de diversas ações. É importante mostrar para a sociedade que essas aves são patrimônio de todos e que devem ser protegidas.

Na mesma vertente, o Programa de Educação Ambiental Marinha "Projeto Albatroz na Escola" foi desenvolvido para crianças e jovens de diversas faixas etárias. A grande lacuna de conhecimento sobre os conceitos marinhos em geral e os albatrozes em particular levou o Projeto Albatroz a elaborar materiais apropriados sobre o tema e oferecer o Programa de Educação Ambiental Marinha à rede pública e particular das cidades onde atua.

A meta é envolver professores e alunos e introduzir em sala de aula o conteúdo da conservação marinha. A primeira e bem-sucedida experiência vem sendo realizada em Santos, em algumas escolas particulares e na rede pública, onde alunos e professores têm contato com a temática e o Projeto Albatroz.

O Programa de Educação Ambiental Marinha foi idealizado de modo a incluir materiais lúdicos, por entendermos a importância de tal tipo de ferramenta, que estimula as crianças a aprenderem brincando porque isso permite recriar a realidade e melhorar a compreensão sobre o mundo que as cerca.

Os jogos elaborados para o Programa possibilitam que as crianças experimentem regras, troquem experiências, desenvolvam habilidades e realizem a interação social. Esses jogos (que compõem o Espaço Albatroz, montado nas escolas) configuram importante ferramenta de ensino e aprendizagem para a proposta de educação ambiental.

No Programa de Educação Ambiental Marinha, os temas primordiais são a conservação dos mares e de seus habitantes e a importante relação que o homem tem com aquele ambiente. O albatroz é a personagem encarregada de transmitir a mensagem, o porta-voz da conservação marinha para alunos e professores.

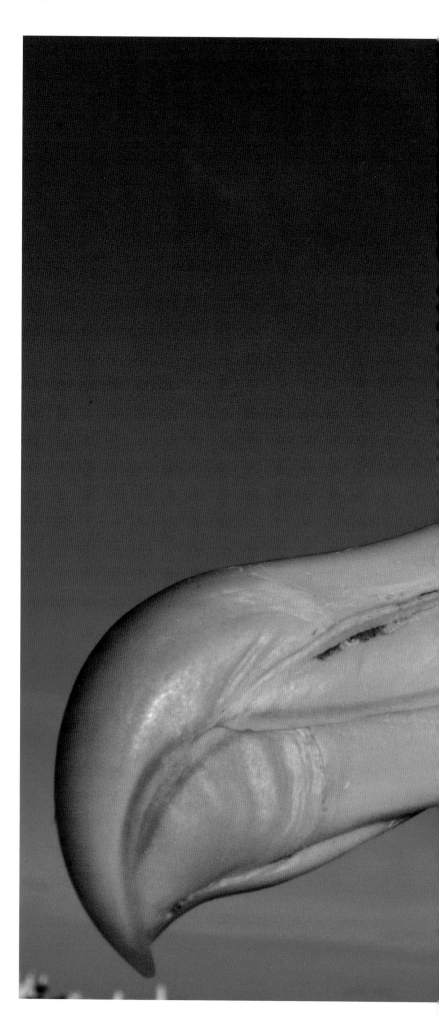

Para preservar essas belas aves, é necessária a adoção de ações conjuntas entre governo e sociedade, voltadas à conservação da biodiversidade marinha no Brasil.

POLÍTICAS PÚBLICAS: SOCIEDADE E PODER PÚBLICO JUNTOS PELA CONSERVAÇÃO

Há anos, diversas ações governamentais ligadas à conservação de albatrozes e petréis tiveram ou têm o apoio do Projeto Albatroz na elaboração, execução e implementação. Lado a lado com os ministérios do Meio Ambiente, da Pesca e Aquicultura e das Relações Exteriores, com o Instituto Brasileiro do Meio Ambiente e dos Recursos Naturais Renováveis (Ibama) e com o Instituto Chico Mendes de Conservação da Biodiversidade (ICMBio), o Projeto Albatroz vem subsidiando tecnicamente as tomadas de decisão e a elaboração de estratégias que estejam de acordo com os interesses nacionais. Junto com esses parceiros fundamentais, o Projeto Albatroz apoia as diversas ações internacionais de que o Brasil faz parte, visando a auxiliar o país a cumprir compromissos e metas para a conservação marinha e a redução da captura incidental de aves.

O PLANACAP – PLANO DE AÇÃO NACIONAL PARA A CONSERVAÇÃO DE ALBATROZES E PETRÉIS

O Brasil tinha com a Organização das Nações Unidas Para a Agricultura e Alimentação (FAO) o compromisso de desenvolver um plano nacional de ação que reduzisse as capturas incidentais de aves marinhas na pesca com espinhel. Sabendo disso, o Projeto Albatroz, por intermédio do Ibama, entrou em contato com o Comitê de Pesca da FAO para conseguir recursos para a elaboração do plano. Assim, em 2003, o Projeto Albatroz e o programa brasileiro da BirdLife International apresentaram ao Ibama o que seria a primeira versão do Plano de Ação Nacional para a Conservação de Albatrozes e Petréis (Planacap). O documento recebeu contribuições do Ibama e, em seguida, foi revisado por diversos setores governamentais, por órgãos e entidades de pesquisa e conservação e por representantes do setor pesqueiro; todos o analisaram e ajudaram a aprimorar. Por fim, em junho de 2006, durante reunião do Acordo Para Conservação de Albatrozes e Petréis (ACAP) realizada em Brasília, o Planacap foi lançado oficialmente pelo presidente do Ibama.

Todas as ações do Projeto Albatroz estão contempladas no Planacap. Sendo assim, o Projeto auxilia integralmente a implementação do Plano. Por isso e pela forte sinergia existente entre o Projeto Albatroz e os órgãos ambientais do governo federal, o Projeto tornou-se coordenador executivo do Planacap a convite do ICMBio (que hoje é responsável pelos diversos planos de ação nacionais).

DO BRASIL PARA O MUNDO

Com base nas pesquisas realizadas conjuntamente com os pescadores (parceiros do Projeto Albatroz), demonstrou-se que o toriline e os pesos de sessenta gramas posicionados a dois metros dos anzóis (em vez dos cinco metros geralmente adotados pelos mestres brasileiros) eram medidas que dificultavam o ataque das aves às iscas e, em consequência, reduziam o risco de captura. Por meio de pesquisa científica, comprovou-se também que aquelas duas medidas não afetam de maneira significativa a produção pesqueira. Assim, em 15 de abril de 2011, o Ministério do Meio Ambiente e o Ministério da Pesca e Aquicultura publicaram a Instrução Normativa Interministerial nº 4, que tornou obrigatória a aplicação tanto do toriline quanto do regime de pesos para todos os barcos de espinhel que, desde aqueles 20 graus de latitude sul até a fronteira com o Uruguai, pescam em águas nacionais e adjacentes.

As medidas desenvolvidas pelos pescadores brasileiros e aprimoradas pelo Projeto Albatroz a bordo dos barcos fazem parte de uma normativa brasileira e são reconhecidas por acordos e comissões internacionais.

Vale lembrar que o toriline descrito pela Instrução Normativa nº 4 foi o desenvolvido e aprimorado em conjunto com os mestres brasileiros. O mesmo modelo de toriline seria depois incorporado na lista de prioridades do ACAP e adotado, entre outras medidas, pela Comissão Internacional Para a Conservação do Atum do Atlântico (ICCAT) na Recomendação ICCAT 09/2011. A adoção dessas medidas de mitigação por um organismo de ordenamento pesqueiro como a ICCAT é de suma importância para que outras entidades da mesma natureza também as adotem em outras regiões do mundo.

Devido à migração das várias espécies de albatroz (cada uma delas com suas peculiaridades), a interação com a pesca acontece em todo o planeta. Por isso é tão importante que os países se unam para traçar estratégias conjuntas de solução do problema.

ACAP: PARA PROTEGER ESPÉCIES QUE VAGAM POR VÁRIOS OCEANOS, É NECESSÁRIO QUE PAÍSES SE UNAM NUM ACORDO INTERNACIONAL

O ACAP, que o Brasil assinou já em 2000 mas só veio a ratificar em 2008, visa à conservação das espécies de albatroz e petrel listadas no anexo do Acordo. O ACAP atua mediante a cooperação internacional e a troca de informação entre os países-membros, procurando compreender melhor a susceptibilidade das espécies a uma ampla gama de ameaças em terra e no mar e buscando formas de mitigar essas ameaças. Para tanto, possui grupos de trabalhos em diversas áreas, entre elas as capturas incidentais em pescarias. O Projeto Albatroz já era parte atuante do Grupo de Trabalho de Captura Incidentais havia muitos anos quando, em 2011, na pessoa de sua coordenadora-geral, Tatiana Neves, foi nomeado membro daquele grupo, coordenado pelo Comitê Consultivo do ACAP. Assim, o Projeto assumiu oficialmente a representação do Brasil no ACAP e trabalha regularmente como assessor técnico da delegação brasileira, tanto nos preparativos das reuniões internacionais quanto durante as discussões em plenária.

As pesquisas para desenvolver tecnologia e os trabalhos de divulgação e educação ambiental que o Projeto Albatroz e seus parceiros realizam são regularmente apresentados ao Acordo, auxiliando o Brasil a cumprir metas internacionais.

Graças à atuação do Projeto Albatroz e à comprovação científica da eficácia da medida em barcos brasileiros, merece destaque o fato de que o toriline de fitas curtas, desenvolvido e aprimorado em nosso país, foi incluído na lista de medidas prioritárias de conservação do Acap. Essas medidas, que estão no Guia de Boas Práticas do ACAP, são recomendadas para adoção aos países-membros e aos órgãos regionais de ordenamento pesqueiro.

Para proteger albatrozes e petréis que se reproduzem em diversas partes do mundo e migram pelos oceanos (como a pardela-de-óculos, endêmica das ilhas de Tristão da Cunha, na foto ao lado), é necessário um acordo internacional para promover o intercâmbio de informações visando a conservação dessas espécies em todos os lugares onde elas ocorrem.

ICCAT: AS ORGANIZAÇÕES INTERNACIONAIS DE ORDENAMENTO PESQUEIRO COMEÇAM A ADOTAR MEDIDAS DE PROTEÇÃO ÀS AVES MARINHAS.

A ICCAT, Comissão Internacional para Conservação de Atum no Atlântico é uma dessas organizações regionais. Seu propósito é ordenar a pesca de atuns e peixes semelhantes em todo o Atlântico e Mediterrâneo. Entidade de grande peso mundial, a ICCAT é certamente a mais importante dentre as organizações de ordenamento pesqueiro para o Brasil. É ela que regulamenta, por exemplo, a definição de cotas de pesca dos países-membros para as diversas espécies de valor comercial, como os atuns e espadartes, que são alvo da pesca com espinhel em nossa região.

No âmbito da ICCAT, o Projeto Albatroz apoia o Brasil fornecendo subsídios técnicos e atuando junto ao Subcomitê de Ecossistemas, em especial nas discussões sobre a redução da captura de aves nas pescarias.

Em 2011, durante a reunião principal da ICCAT, o Brasil apresentou proposta que recomendava o uso de medidas de mitigação como o toriline, o regime de pesos e a largada noturna, todas referendadas pelo ACAP. Em conjunto com a União Europeia, e tendo depois o apoio do Uruguai, da África do Sul e do Reino Unido, a proposta foi discutida com os países do bloco asiático, liderados pelo Japão. Após algumas modificações, foi aceita unanimemente e, em seguida, aprovada em plenária – o que resultou na publicação de uma recomendação histórica, de extrema relevância internacional. Foi uma vitória importantíssima para a conservação dos albatrozes.

TODOS A BORDO!

O Projeto Albatroz busca divulgar a importância da conservação dos albatrozes para diversos públicos. Na página anterior, imagens de programas educativos para crianças e jovens, de eventos para o envolvimento do público e de trabalhos nos píeres para informar pescadores mostram essas linhas de ação do Projeto Albatroz.

O Projeto Albatroz é formado de pessoas, não apenas de sua equipe e voluntários. Todos são convidados para embarcar rumo à conservação daquelas aves magníficas, mesmo porque o Projeto Albatroz é uma organização feita pela sociedade e trabalha pelo bem comum. Vários públicos são bem-vindos a bordo: pescadores, mestres de pesca, empresários, professores, jovens e crianças das escolas das regiões onde o Projeto Albatroz atua e as pessoas de modo geral são parte integrante na luta para preservar essas espécies.

A proteção dos albatrozes, petréis e quaisquer outros animais e dos ambientes onde vivem se justifica por si só, uma vez que preza pela manutenção da vida e pelo direito de todos os seres a ela. É, portanto, dever de uma sociedade evoluída preservar a diversidade de espécies e ambientes e promover de maneira segura, saudável e sustentável a interrelação entre o homem e a natureza. É para isso que o Projeto Albatroz trabalha, de forma a garantir que as gerações que estão por vir tenham o mesmo privilégio que hoje usufruímos de compartilhar o planeta com esses animais maravilhosos.

Mas o que para alguns parece tão óbvio pode passar despercebido por outros. Assim, o Projeto Albatroz sente-se no dever de informar as pessoas sobre a existência, a beleza, as particularidades e o valor dessas aves para nós. É importante sabermos quanto podemos aprender com elas e como elas podem nos ajudar a manter o equilíbrio desta frágil e intrincada rede de vida da qual todos fazemos parte.

Com tal finalidade, as ações de comunicação, educação ambiental e mobilização
são direcionadas para vários públicos. Os pescadores – protagonistas na solução
da captura incidental que está levando os albatrozes e outras aves à extinção –
são nossos parceiros fundamentais. A Coordenação Técnica do Projeto Albatroz se
dedica ao trabalho constante de mantê-los informados, por meio de visitas diárias
aos portos, que são municiadas com a distribuição de vários materiais educativos,
especificamente dedicados aos pescadores. Os observadores de bordo do Projeto
Albatroz merecem destaque especial, uma vez que formam a equipe de pesquisadores
e técnicos que acompanham a tripulação dos barcos pesqueiros em longas jornadas
para, lado a lado com os pescadores, tomar parte em seu dia a dia em alto-mar,
realizando levantamentos e trocando informações com mestres e tripulantes, numa
relação em que todos aprendem.

Acima, voluntárias ajudam a divulgar o trabalho do Projeto Albatroz em evento em Itajaí (SC). Na página anterior, animadores fantasiados de albatrozes e petréis alegram as ações de mobilização social com suas perfomances em Santos (SP).

Grande esforço também é dedicado a disseminar, o máximo possível, o conhecimento sobre essas aves para o público em geral. Mediante as eficientes mídias eletrônicas e os órgãos de imprensa, parceiros importantes na mobilização, o Projeto Albatroz visa cada vez mais a alcançar públicos diversos em todo o país e até fora dele. Ações como eventos, performances, brincadeiras completam o trabalho da Coordenação de Comunicação do Projeto Albatroz, que tem como metas a mobilização social e a sustentabilidade institucional.

Por fim, o futuro. A esperança da mudança na forma de pensar nossas ações e seus efeitos sobre a natureza está nas mãos de quem ainda tem muito a contribuir. Jovens e crianças recebem atenção especial no trabalho da Coordenação de Educação Ambiental e do recentemente instalado Programa de Educação Ambiental Marinha "Projeto Albatroz na Escola". Para o futuro próximo, espera-se estender essas iniciativas para outras regiões do Brasil, ampliando ainda mais a envergadura e o alcance do Projeto Albatroz.

Os pescadores são essenciais para o trabalho de conservação e protagonistas da solução para o problema da captura de albatrozes e petréis.

A conservação de albatrozes e petréis e a redução da captura incidental nos barcos de pesca constituem o objetivo maior do Projeto Albatroz. A atuação junto com os pescadores, tanto nos terminais de pesca quanto nos barcos em alto-mar, é portanto a espinha dorsal do trabalho, que vem sendo realizado sem interrupção desde que o Projeto foi criado.

Sabe-se que a captura das aves nos barcos de pesca não é intencional. Ela de forma alguma é de interesse dos pescadores – ao contrário, acarreta prejuízos para a pesca e perdas desnecessárias de vida. A captura é plenamente evitável com a instalação de equipamentos e medidas que são simples e baratas, mas que, para sua adoção, requerem certo esforço e boa vontade da parte dos pescadores. Por isso, o Projeto Albatroz entende que os pescadores são os potenciais solucionadores do problema que afeta tanto a pesca quanto o meio ambiente.

O trabalho dos técnicos é desenvolver as medidas para evitar a captura de aves e envolver os pescadores para adoção dessas medidas no dia a dia no mar. Para isso, é importante estar presente a cada soltura das amarras e a cada retorno dos barcos, de forma a manter tanto a proximidade com o pescador quanto a troca de conhecimento entre o Projeto Albatroz e a tripulação das embarcações.

Após tantos anos de trabalho, o pescador já conhece as particularidades das aves e já compreende que ele próprio é parte da solução. Com a presença permanente nos terminais pesqueiros, o Projeto Albatroz recebe dos mestres de pesca informações preciosas sobre os locais de atuação, a utilização das medidas de prevenção à captura e a interação das aves com os barcos. Essa relação é de extrema importância, fortalecendo as ligações entre os pescadores e o Projeto Albatroz.

O trabalho é complementado com a atuação dos observadores de bordo, pesquisadores especialmente capacitados para acompanhar os pescadores nas longas jornadas em alto-mar. Durante tais viagens, a relação com os pescadores se intensifica ainda mais, e é nesse momento que o pesquisador coleta dados sobre a ocorrência das aves no mar e a captura das espécies nos espinhéis e, com a ajuda dos pescadores, promove o aprimoramento das medidas de prevenção.

O pescador é, assim, o ator mais importante na luta contra a extinção das diversas espécies de albatrozes e petréis ameaçadas. E por isso a colaboração deles é o fator determinante para a conservação dessas aves magníficas.

Fabiano Peppes

Coordenador Técnico do Projeto Albatroz

DEPOIMENTOS PESCADORES E OBSERVADORES DE BORDO

O toriline é uma das mais importantes medidas para evitar a captura das aves. Na foto da página anterior, os pescadores o utilizam durante a largada do espinhel.

Matava muita ave porque não usava equipamento. Então, com o Projeto Albatroz aprendi a conservar as aves e o meio ambiente. Isso é importante porque nós, gente e animais, vivemos juntos. Não conseguimos viver sem eles. Por isso, é importante que sejam protegidos porque é assim que também nos protegemos.

José Ventura, Mestre de Pesca

O mar, o céu e as estrelas, solitárias companhias dos pescadores que às vezes distraem-se no triunfal voo do albatroz, resplandecente no infinito do horizonte.

Michel Couto, Observador de bordo

O dono do barco perguntou se eu gostaria de colocar o "espantador de aves" no barco e se eu conhecia o pessoal do Projeto Albatroz. Eu disse: eles são gente nossa! Trabalham faz tempo com a gente! Já pegaram mares pesados junto comigo e quero usar sim!

Quero usar o aparelho de espantar aves em meu barco, pois as aves roubam a isca do meu espinhel! É prejuízo para mim e para os bichinhos da natureza que estão no lugar deles!

Caçula, Mestre de Pesca (Embarcação Áustria)

Pescador carrega atum no porto de Itaipava (ES), cidade onde o Projeto Albatroz mantém uma de suas bases.

(Com o Toriline) a ave não encosta no material (de pesca). Ela só fica voando, bem por fora. Se não tiver o Toriline na hora que você joga (o anzol na água) ela vem e "senta" bem pertinho do barco. E realmente vem (capturada)... nas antigas, daquele bichão grandão... e isso dá dó, né?

Miranda, Mestre de Pesca (Embarcação Yamaia III)

Partir para o alto-mar para realizar trabalhos de conservação junto aos pescadores foi a maior de todas as escolas! Os pescadores são verdadeiros samurais do mar, repletos de experiência e conhecimento.

Biol. Caio Marques, um dos primeiros observadores de bordo do Projeto Albatroz, atual Coordenador da Base do Espírito Santo.

Se você usar o toriline durante todo o ano, você não pega cinco, seis albatrozes. Mas, se não tiver o toriline, você, em uma viagem, abate de 30 a 40 aves. Muitas vezes, elas têm 20, 30 anos de idade, até mais velhas do que certos pescadores que estão ali a bordo.

Celso Rocha, Mestre e Armador de Pesca (Embarcação Gera VIII)

Impossível ficar indiferente perante a beleza do voo de um albatroz. Seria muito egoísmo do ser humano privar as gerações futuras de uma visão tão majestosa.

Biol. Demétrio de Carvalho, Observador de Bordo do Projeto Albatroz

Como aproximar os albatrozes das pessoas que vivem em terra e não nos mares, o ambiente natural dessas aves belas e especiais, ao mesmo tempo que se evidencia a conexão entre aqueles ambientes e os seres vivos? Uma das respostas parte das ações de comunicação promovidas pelo Projeto Albatroz, que têm entre seus objetivos principais levar ao público informações sobre as aves e o trabalho da instituição, de forma a esclarecer que toda a vida no planeta está intimamente conectada e que a perda da biodiversidade afeta a todos.

Esse trabalho é realizado, sobretudo, em eventos de divulgação, organizados pelo próprio Projeto Albatroz ou por entidades parceiras. São oportunidades que permitem o contato das pessoas com essas aves oceânicas, ao propiciar informações sobre seu estilo de vida, as ameaças que sofrem, as medidas de proteção adotadas e o elo inquestionável que existe entre os seres humanos e a vida marinha.

Os eventos também dão espaço para descontração e sensibilização dos participantes, quando apresentam a performance de animadores fantasiados de albatrozes e petréis, distribuindo "abraços grátis", nome dado a essa atividade.

Tais iniciativas aproximam essas extraordinárias aves da nossa realidade, do cotidiano das pessoas, e contribuem para sensibilizar essas últimas para a importância de proteger os mares e a vida que depende deles, inclusive a nossa.

Maria Carolina Ramos

coordenadora de Comunicação do Projeto Albatroz

Na página anterior, participantes de evento em Ilha Bela (SP) brincam com o painel. Acima, equipe do Projeto Albatroz trabalha para organizar atividade em Santos (SP).

DEPOIMENTOS DO PÚBLICO NOS EVENTOS

Tudo o que está relacionado à preservação dos seres do nosso ambiente e do ecossistema marinho é importante. Ainda não tenho um conhecimento profundo das atividades do Projeto Albatroz, mas vou buscar conhecer mais, acessando o site.

Fábio José Dantas de Melo, Diretor Técnico do Grupo Escoteiros do Mar Almirante Tamandaré.

É muito válido passar esse conhecimento a respeito da importância da conservação da vida marinha. Afinal, embora essa questão pareça estar longe do nosso dia-a-dia, ela existe e faz parte da nossa vida.

Viviane Bispo, Estudante de Biologia e voluntária do Projeto Albatroz.

Eu não conhecia o Projeto Albatroz e resolvi passar nesse evento comemorativo ao Dia do Biológo para saber um pouco mais. Achei muito legal o Projeto. A divulgação desse tipo de iniciativa é muito interessante.

Flávia Ramoneda, Estudante de Biologia.

Tornar comum às pessoas a beleza e a importância do albatroz é especial. A comunicação sensibiliza muito mais e atinge o seu objetivo de uma maneira mais efetiva porque seu objetivo é uma causa. O aprendizado de se trabalhar nesse meio é mais que profissional, se torna humano.

Jéssica Branco – Estagiária de Comunicação do Projeto Albatroz – Estudante de Jornalismo

Por meio dos eventos, foi possível alcançar o público, informar sobre o trabalho realizado pelo Projeto Albatroz e também sensibilizar sobre a importância da conservação do meio ambiente marinho. É prazeroso saber que, por meio do trabalho da área de comunicação, se contribui para a conservação de aves magníficas como os albatrozes!

Daniel Biondi, Assistente de Comunicação do Projeto Albatroz

Alunos de escola municipal de Santos (SP) participam do Espaço Albatroz, montado para as crianças aprenderem e também se divertirem com brincadeiras.

O Programa de Educação Ambiental Marinha "Projeto Albatroz na Escola" teve início em Santos em 2011, envolvendo crianças das escolas particulares e da rede pública de ensino fundamental. É um trabalho complementar as ações de pesquisa e conservação das aves oceânicas, realizadas pelo Projeto Albatroz, e de fundamental importância para a proteção da biodiversidade. Afinal, as crianças – as tomadoras de decisão amanhã – são receptivas e sensíveis à proteção do meio ambiente. Ciente da lacuna no conhecimento sobre a importância da conservação dos mares e oceanos em materiais didáticos, o Projeto Albatroz na Escola priorizou a sensibilização dos professores, estimulando-os a incorporar a mentalidade marítima, tão necessária num país com 8 mil quilômetros de costa.

A primeira etapa do Programa foi conceber a proposta, traçar o planejamento, executar as etapas e elaborar os materiais a serem utilizados. Os albatrozes têm como principal atrativo a sua beleza indiscutível. Além disso, é a ave de maior envergadura na natureza, com 3,5 metros de uma ponta de asa à outra. Poucas pessoas sabem disso. E o cuidado do casal com o filhote é apaixonante. Os pais se revezam na busca de alimento: enquanto um voa para alto-mar a fim de buscar alimento para si e para o filhote, o outro fica no ninho, , esperando a volta do companheiro. No entanto, se aquele que foi pescar não volta – provavelmente porque morreu afogado, preso em anzóis de pesca com espinhel –, o adulto restante abandona o ninho, já que não conseguirá alimentar o filhote sozinho.

Essas informações, bem como a importância dos mares e da vida que nele habita, além de outras questões são abordadas nas *Cartilhas de Educação Ambiental Marinha*, uma destinada para os professores e outra para os alunos. Esse trabalho foi desenvolvido pela equipe de educação ambiental do Projeto Albatroz, norteado por temas globais sobre o ambiente em que o albatroz vive e, dessa forma, trazendo o assunto para perto dos professores e das crianças. As cartilhas também enfatizam a interação das aves com a pesca e com os pescadores, parceiros importantes na preservação das espécies ameaçadas. E contamos, é claro, muitas curiosidades sobre os albatrozes e petréis.

O início das atividades teve a valiosa participação de voluntários, de professores motivados e de crianças curiosas com a chegada do Espaço Albatroz para um dia de aula bem diferente.

É uma delícia quando a equipe do Projeto Albatroz chega à escola e os alunos a recebem de braços abertos! Por isso sonhamos com o dia em que não será mais necessário educar para cuidar da biodiversidade marinha – essa conquista já estará incorporada.

Maria Claudia Mibielli Kohler

Coordenadora de Educação Ambiental e Voluntariado do Projeto Albatroz

Nesta página e na anterior, o Programa de Educação Ambiental Marinha "Projeto Albatroz na Escola" promove diversas atividades com palestras, desenho e jogos, além de distribuir cartilhas educativas para as crianças.

DEPOIMENTOS SOBRE O TRABALHO NAS ESCOLAS

Estamos em uma cidade de praia e é muito interessante trazer a riqueza das informações trazidas pelo Projeto Albatroz para as crianças, até porque elas podem querer estudar esse assunto no futuro. As crianças e os professores desconheciam a riqueza da necessidade da preservação dos albatrozes e do ambiente marinho.

Claudia Rezende Prol - Coordenadora pedagógica da U.M.E.
Auxiliadora da Instrução

A parceria entre o Projeto Albatroz e a Secretaria de Educação possibilitou um trabalho significativo com a temática ambiental, abordando o meio ambiente de forma transversal.

Valéria Vegas - Professora SEDUC/Santos

As vivências e atividades lúdicas que o Projeto proporciona para os alunos na escola e o livro do aluno, colaboram no sentido de despertar o interesse por essas aves marinhas e, ao mesmo tempo, perceber o quanto o ser humano necessita refletir sobre suas ações no ambiente, de forma a conviver harmoniosamente com ele, sem lhe causar prejuízos.

Vânia Bernal - SEDUC/Santos

Na página anterior, acima, o painel com a envergadura do albatroz-viajeiro permite às crianças compreenderem seu tamanho. Na imagem abaixo, outros jogos e elementos são também usados no Espaço Albatroz instalados nas escolas para ensinar brincando, usando elementos como o jogo da memória marinha. Na sequência de imagens, o trabalho de educação ambiental nas escolas se dá com a capacitação de professores, a participação de alunos e a distribuição de cartilhas. Como resultado, as escolas de Santos (SP) mostraram seus trabalhos criados em sala de aula, a exemplo de maquetes, histórias em quadrinho, redações, poesias, desenhos e muito mais.

Trabalhar com crianças que estão em formação é de grande valia. Essas crianças levam a informação para os pais e isso tem como resultado a multiplicação da informação.

Margarete Ventura - Voluntária do Projeto Albatroz

Plantar a semente da conservação marinha no coração de cada criança é saber que, de alguma forma, faço minha parte para um bem maior.

Cynthia Ranieri - Educadora Ambiental do Projeto Albatroz

Sempre em ambiente leve, divertido e descontraído, as crianças aprendem desde cedo que são parte da natureza e a importância em se ter amor por esse todo que é o nosso universo.

Luciana Oliveira - Professora do Colégio Átrio e Tabitati

Na aula do Albatroz a gente aprende a cuidar da natureza. E a natureza é muito importante porque traz a felicidade pra todos nós.

Renan - 7 anos - aluno da escola Tabitati

A gente aprende muito sobre o Albatroz, que é um pássaro que pesca na superfície do mar, dá um rasante muito legal e está em extinção.

Pedro Motta - 7 anos - aluno da escola Tabitati

A REDE BIOMAR

UNIÃO DE ESFORÇOS PELA CONSERVAÇÃO
DA BIODIVERSIDADE MARINHA

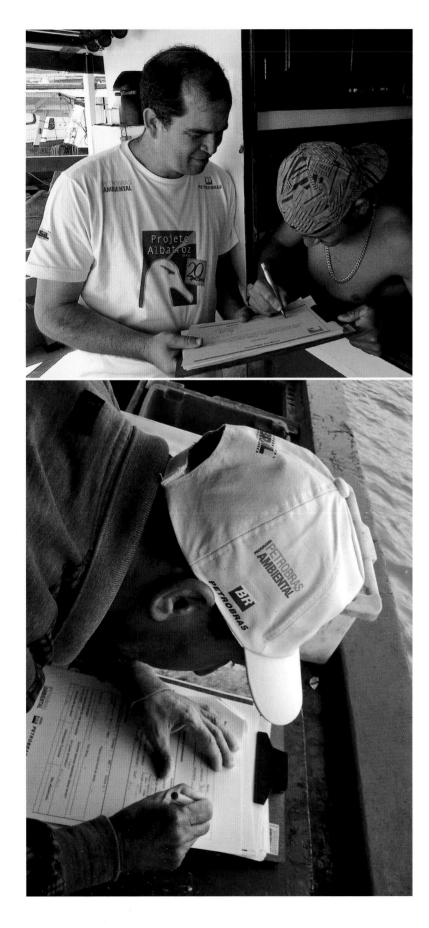

Na página anterior, acima à esquerda, biometria de fêmea de tartaruga marinha durante o monitoramento das áreas de desova em Arembepe (BA); acima à direita, grupo de baleias jubarte fotografadas durante comportamento reprodutivo no sul do banco dos Abrolhos (BA); abaixo à esquerda, grupo de golfinhos rotadores em acasalamento em Fernando de Noronha (PE); abaixo à direita, aula prática do Curso de Capacitação em Educação Ambiental para Professores da Região dos Lagos ministrada pelo Projeto Coral Vivo, em Búzios (RJ). Nesta página, trabalhos educativos do Projeto Albatroz para pescadores nos portos do Sul e Sudeste do Brasil.

REDE BIOMAR

UNIÃO DE ESFORÇOS PELA CONSERVAÇÃO MARINHA

Os projetos de conservação da biodiversidade marinha patrocinados pela Petrobras – Baleia Jubarte, Coral Vivo, Golfinho Rotador, Tamar e Albatroz – se consolidaram ao longo de anos como parcerias de sucesso entre a Companhia, as instituições que os executam, o Ministério do Meio Ambiente (MMA) e o Instituto Chico Mendes de Conservação da Biodiversidade (ICMBio).

Reconhecidos nacionalmente como referenciais científicos, os projetos contribuem para ampliar a projeção internacional das políticas brasileiras de conservação marinha.

A qualidade de suas ações pode ser medida pelos excelentes resultados conquistados, que vão desde o aumento da população das espécies trabalhadas, gerando conhecimentos técnico-científicos essenciais à gestão das espécies e de seu ambiente, até as novas descobertas científicas, os impactos das informações educativas e de conscientização ambiental nas comunidades, as alternativas econômicas sustentáveis e a valorização sociocultural das espécies.

Com o propósito de consolidar as ações desenvolvidas e fortalecer os resultados dos projetos, em 2006, foi elaborado pela Petrobras, em parceria com o MMA e as instituições executoras dos projetos, o Planejamento Estratégico Integrado de Biodiversidade Marinha - BIOMAR, com o objetivo de evitar a extinção de espécies ameaçadas e componentes da biodiversidade marinha do Brasil, promovendo a redução do grau de ameaça às espécies. Para atingir esse objetivo, foram desenvolvidas nove linhas de atuação conjuntas, que vão desde a ampliação do conhecimento científico sobre as espécies e a implantação de base de dados georreferenciados até programas de educação ambiental e fortalecimento de políticas públicas.

Ao patrocinar projetos como esses, a Petrobras reafirma seu compromisso com a conservação ambiental e reforça suas ações de contribuição para o desenvolvimento sustentável do Brasil.

Nesta página e na anterior, cruzeiro de pesquisa para fotoidentificação e observação do comportamento de baleias jubarte na região de Abrolhos.

Projeto Baleia Jubarte

PROJETO BALEIA JUBARTE

Em 1987, identificou-se na região dos Abrolhos uma população remanescente de baleias-jubarte em seu principal "berçário" no Atlântico Sudoeste. No ano seguinte, nascia o Projeto Baleia Jubarte, para promover a proteção e pesquisa desses mamíferos no Brasil. Assim, Caravelas tornou-se sede da primeira base de um projeto de conservação de jubartes no país. A segunda base, na praia do Forte, foi criada anos depois, quando se constatou a recuperação e o aumento do número das baleias no norte da Bahia.

O Instituto Baleia Jubarte é uma organização da sociedade civil que tem como missão "conservar as baleias-jubarte e outros cetáceos do Brasil, contribuindo para harmonizar a atividade humana com a preservação do patrimônio natural". O Projeto Baleia Jubarte é a principal iniciativa dessa organização.

No período de reprodução da espécie, de julho a novembro, organizam-se os cruzeiros de pesquisa. Ao longo do ano, faz-se o registro dos encalhes no litoral baiano e capixaba. Sobrevoos de monitoramento são também realizados periodicamente para ampliar o conhecimento da área ocupada pela espécie no Brasil. Paralelamente, o Programa de Educação e Informação Ambiental atua para cooperar na compatibilização do desenvolvimento socioeconômico das comunidades com a preservação ambiental. O crescente turismo de observação de baleias, fomentado pelo Projeto, vem sensibilizando a opinião pública. Por meio da informação técnica e científica, da interação com as comunidades locais e da participação nas políticas públicas, o Projeto Baleia Jubarte tem contribuído efetivamente para preservar a espécie em águas brasileiras.

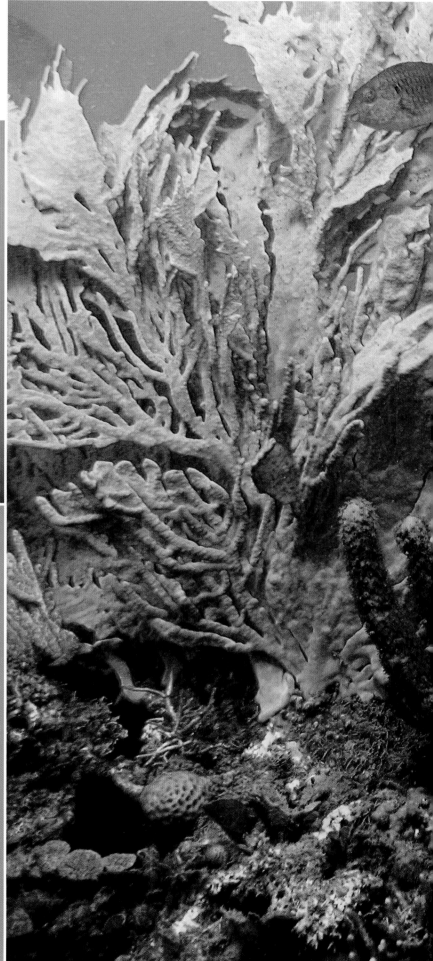

PROJETO CORAL VIVO
PROJETO BUSCA A CONSERVAÇÃO E O USO SUSTENTÁVEL DE AMBIENTES RECIFAIS

Os recifes de corais correspondem no mar às florestas tropicais em terra. Nos recifes brasileiros, há espécies de coral e de outros seres que não existem em nenhum outro local do mundo. Por isso, desde 2003, o Projeto Coral Vivo trabalha com pesquisa e educação para a conservação e uso sustentável dos ambientes recifais e das comunidades coralíneas brasileiras, de forma integrada, multidisciplinar e multi-institucional. Possui três principais vertentes: geração de conhecimento (pesquisa); ensino e educação ambiental; e sensibilização e mobilização da sociedade.

O Coral Vivo apoia e realiza estudos em que se incluem pesquisas sobre o efeito de mudanças climáticas e da presença do homem sobre os seres recifais. Realiza parcerias e cursos com professores e agentes de turismo e atua com universitários por meio de programas de extensão. Organiza atividades como visitas monitoradas às bases do Projeto, produz campanhas de sensibilização e participa de eventos, entre muitas outras ações.

Com sede no Museu Nacional, no Rio de Janeiro, montou sua primeira base de pesquisa e visitação em 2004, em Arraial d'Ajuda, no sul da Bahia, onde ficam as maiores e mais ricas áreas recifais do Brasil. Em 2011, inaugurou seu Centro de Visitantes na rua das Pedras, em Búzios (RJ); e, em 2012, o Espaço Coral Vivo Mucugê, em Arraial d'Ajuda.

Coleta de dados sobre comportamento de golfinhos rotadores em Fernando de Noronha.

PROJETO GOLFINHO ROTADOR
COORDENADO PELO CENTRO MAMÍFEROS AQUÁTICOS, EXECUTADO PELO CENTRO GOLFINHO ROTADOR E PATROCINADO PELA PETROBRAS

A alta frequência de golfinhos-rotadores, a falta de conhecimento sobre esses animais e a iminência do crescimento desordenado do turismo em Fernando de Noronha (PE) levaram à criação do Projeto Golfinho Rotador (PGR) em 23 de agosto de 1990.

O PGR atua principalmente no distrito estadual de Fernando de Noronha, com a comunidade local e com os visitantes, mas também desenvolve ações de pesquisa em todo o mar territorial do Nordeste e participa de atividades científicas, de divulgação e de políticas públicas para a conservação marinha no Brasil e no exterior.

O PGR executa suas ações por meio de três programas. O Programa de Pesquisa consiste no estudo da história natural dos golfinhos-rotadores. O Programa de Educação Ambiental atua por meio de oficinas ambientais temáticas e de orientação à visitação turística. O Programa de Envolvimento Comunitário objetiva estimular o desenvolvimento sustentável de Fernando de Noronha, promovendo capacitação profissional, consolidando representatividade em conselhos locais e apoiando iniciativas culturais e esportivas.

O PGR já apresentou vários resultados positivos, entre os quais pode-se destacar: ter proposto, divulgado e fiscalizado a criação de normas de conservação tanto de cetáceos quanto de Fernando de Noronha; inserido a temática da sustentabilidade da ocupação humana em Fernando de Noronha; aumentado a consciência dos ilhéus e visitantes quanto à necessidade de preservar os golfinhos e o planeta de maneira geral; descrito para a espécie *Stenella longirostris* os comportamentos de descanso, reprodução, guarda e amamentação em ambiente natural; e capacitado ilhéus para se incorporarem ao mercado de trabalho no turismo.

ALBATROZ UM PROJETO PELA VIDA

PROJETO TAMAR

33 ANOS

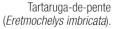

PROJETO TAMAR

Criado pelo Governo Federal em 1980, o Projeto Tamar é um programa desenvolvido pela parceria entre o ICMBio/Ministério do Meio Ambiente e a Fundação Pró-Tamar, com patrocínio oficial da Petrobras. Conta ainda com os convênios e apoios regionais de governos estaduais e prefeituras, empresas e agências financiadoras nacionais e internacionais.

O Projeto mantém um programa de autossustentação que gera receita através da venda de ingressos, produtos e serviços, nos Centros de Visitantes e lojas.

A missão do Tamar é conhecer, proteger e recuperar as populações das cinco espécies de tartaruga marinha que ocorrem no Brasil: verde (*Chelonia mydas*), cabeçuda (*Caretta caretta*), oliva (*Lepidochelys olivacea*), de pente (*Eretmochelis imbricata*) e de couro (*Dermochelys coriacea*).

Protege 1.100km de praia, através de 23 bases de pesquisa instaladas em oito Estados brasileiros, contando com uma equipe de 1.300 pessoas, a maioria membros das comunidades.

Realiza ações de sensibilização, educação ambiental, conservação, pesquisa e inclusão social, envolvendo nas atividades as comunidades onde atua. Realiza estudos e pesquisas cujos resultados são apresentados em congressos nacionais e internacionais, simpósios e *workshops, e* publicados em jornais e revistas científicos.

Até a temporada 2012/2013, cerca de 15 milhões de filhotes nasceram sob a proteção do Tamar, em 33 anos de atuação no Brasil. Um dos grandes de resultados é o início da recuperação das populações de 4 das 5 espécies presentes no país. Apesar de todos os avanços, o trabalho precisa continuar, pois todas as espécies continuam ameaçadas de extinção, em diferentes estágios.

Entrevista com pescador
no Sul do Brasil.

PROJETO ALBATROZ
O MAIS NOVO MEMBRO DA REDE BIOMAR

O Projeto Albatroz ingressou na Rede Biomar, a convite da Petrobras, em novembro de 2012, tornando-se o quinto projeto da Rede. Ao entrar para esse seleto grupo, o Projeto Albatroz passa a fazer companhia aos projetos Tamar, Baleia Jubarte, Coral Vivo e Golfinho Rotador, todos patrocinados pela Petrobras, por meio do Programa Petrobras Ambiental. A Rede Biomar tem por objetivo a conservação da biodiversidade marinha no Brasil, atuando na proteção e pesquisa de espécies e dos habitats relacionados.

A Rede Biomar, portanto, promove a união dos esforços dos projetos que a compõem permitindo o fortalecimento das ações e a otimização dos esforços visando a amplificação dos resultados almejados. Há, portanto, atividades conjuntas planejadas para cada uma das áreas de atuação, pesquisa, educação ambiental, mobilização social e políticas públicas. Entre essas ações estão publicações científicas conjuntas, compartilhamento de informação em ambienteis digitais de acesso público, criação de materiais gráficos com informação de todos os projetos, atuação conjunta em fóruns nacionais e internacionais, troca de experiências em diversas áreas como educação ambiental marínha, entre outros.

O Projeto Albatroz, que se prepara para a realização dessas parcerias, espera com isso, colaborar para que a questão da conservação marinha, assunto que merece muito mais atenção por parte da sociedade e do poder publico, seja definitivamente, considerada uma prioridade nacional.

ALBATROZ UM PROJETO PELA VIDA

Equipe do Projeto Albatroz reunida durante o lançamento da Exposição de Fotos "Projeto Albatroz – Conservando a Biodiversidade Marinha", evento realizado na Pinacoteca Benedicto Calixto, em Santos (SP), em junho de 2012.

AGRADECIMENTOS

Após tantos anos de vida dedicados a construir essa trajetória, agradecer as pessoas que, de alguma forma, colaboraram com o desenvolvimento do Projeto Albatroz é uma tarefa impossível nesse espaço, que fica pequeno diante da grandiosidade de todas elas.

Mas, não posso deixar de mencionar aquelas que, desde o início, acreditaram no sonho e muito fizeram para impulsioná-lo, colaborando com ideias e conselhos (muito úteis) ou abrindo portas e oportunidades importantes. Carolus Vooren, Judith Cortesão, Fábio Olmos, Lauro Madureira, Eduardo Secchi, Rogério Menezes, Maria Cristina Fernandes, Sebastião Medeiros, Fábio Giordano, Roberto Imai, Wagner Simões e Zeca Kowalsky estão entre as pessoas que deram os primeiros e fundamentais impulsos ao Projeto Albatroz.

Não posso deixar de mencionar o Dr. John Croxall que, além de incentivar a criação do Projeto, promoveu e participou de sua escalada internacional, tendo sido meu mentor, conselheiro e amigo. Aproveito para agradecer e reconhecer o apoio do pessoal do Programa Global de Aves Marinhas da BirdLife e do Albatross Task Force: Ben Sullivan, Oliver Yates, Esteban Frere e Cleo Small.

Quero também fazer um agradecimento especial à Patrícia Palumbo, minha amiga e parceira fundamental nesta linda história de amor à natureza, ao mar, aos albatrozes. Obrigada, Patrícia, pela incondicional confiança e pelos muitos anos de caminhada, que seguirão por muitos mais, tenho certeza.

Agradeço também a todos que fizeram parte da equipe Albatroz, desde o começo, com a participação especial dos estagiários da Universidade Santa Cecília, que praticamente construíram os primeiros anos do Projeto Albatroz junto comigo, e a tantos outros que se seguiram, dentre eles: Priscila Gatto, Carolina Parreira, Leonardo Sales, Guilherme Raymundi, Heloisa Azevedo e Beatriz Gago, que, com esforço muitas vezes voluntário, ajudaram a construir o que hoje é o Projeto Albatroz.

À minha maravilhosa família que, como não poderia ser diferente, sempre está incondicionalmente dedicada às questões do Projeto Albatroz. Márcio, Lúcia, Iuri e meu companheiro, Fabiano Peppes, grande guerreiro dos mares, muito obrigada.

A todos da equipe atual e recente e aos voluntários que nos ajudaram a fazer o sonho crescer e alcançar novos horizontes.

Aos nossos parceiros do IBAMA, MMA, MPA, MRE e ICMBio, em especial aqueles que nunca deixaram de acreditar na importância da conservação dos albatrozes e petréis no Brasil. Rômulo Mello, Ricardo Soavinsky, Onildo Marini e Mônica Perez fazem parte desse time e são fundamentais!

Aos mestres, pescadores, armadores de pesca, nossos parceiros fundamentais na busca por soluções para evitar a captura incidental das aves nas pescarias.

Aos nossos atuais apoiadores: Royal Society for Protection of Birds (RSPB), BirdLife International, Albatross Task Force (ATF), Save Brasil, Universidade do Vale do Itajaí (Univali), Museu Oceanográfico "Profº Eliézer de Carvalho Rios" (Universidade Federal do Rio Grande/ FURG) e Instituto Estadual de Meio Ambiente (Governo do Estado do Espírito Santo).

Gostaria de finalizar com meu agradecimento à Petrobras, em especial à Rosane Aguiar e à Gislaine Garbellini pela confiança e fé no nosso trabalho e também à Leyla Maciel, por todo o seu trabalho dedicado à auxiliar o Projeto Albatroz e tantos outros, pelas suas importantes orientações e pela sua sincera amizade. Você, Leyla, é o nosso anjo-da-guarda. Obrigada.

NOMES POPULARES E CIENTÍFICOS DAS 22 ESPÉCIES DE
ALBATROZ QUE EXISTEM NO MUNDO.
AS ESPÉCIES QUE OCORREM NO BRASIL ESTÃO
DESTACADAS EM NEGRITO.

NOME POPULAR	NOME CIENTÍFICO
albatroz-viajeiro	***Diomedea exulans***
albatroz-de-tristão	***Diomedea dabbenena***
albatroz-dos-antípodas	*Diomedea antipodensis*
albatroz-de-amsterdã	*Diomedea amsterdamensis*
albatroz-real-do-sul	***Diomedea epomophora***
albatroz-real-do-norte	***Diomedea sanfordi***
albatroz-ondulado	*Phoebastria irrorata*
albatroz-de-cauda-curta	*Phoebastria albatrus*
albatroz-de-laysan	*Phoebastria immutabilis*
albatroz-dos-pés-pretos	*Phoebastria nigripes*
albatroz-arisco	*Thalassarche cauta*
albatroz-de-capuz-branco	***Thalassarche steadi***
albatroz-de-salvin	*Thalassarche salvini*
albatroz-de-chatham	*Thalassarche eremita*
albatroz-de-bulleri	*Thalassarche bulleri*
albatrozes-de-cabeça-cinza	***Thalassarche chrysostoma***
albatroz-de-sobrancelha-negra	***Thalassarche melanophris***
albatroz-de-campbell	*Thalassarche impavida*
albatroz-de-nariz-amarelo-do-índico	*Thalassarche carteri*
albatroz-de-nariz-amarelo-do-atlântico	***Thalassarche chlororhynchos***
albatroz-negro	***Phoebetria fusca***
albatroz-do-manto-claro	***Phoebetria palpebrata***

NOMES POPULARES E CIENTÍFICOS DAS PRINCIPAIS
ESPÉCIES DE PETRÉIS QUE SE REPRODUZEM E OCORREM
NO BRASIL AS ESPÉCIES QUE INTERAGEM COM BARCOS
DE PESCA ESTÃO DESTACADAS EM NEGRITO.

NOME POPULAR	NOME CIENTÍFICO
petrel-gigante-do-sul	***Macronectes giganteus***
petrel-giagante-do-norte	***Macronectes halli***
petrel-das-tormentas	***Oceaniates oceanicus***
petrel-prateado	***Fulmarus glacialoides***
pardela-de-trindade	*Pterodroma arminjoniana*
pardela-preta	***Procellaria aequinoctialis***
pardela-de-óculos	***Procellaria conspicillata***
pardela-de-bico-amarelo	***Calonectris borealis***
pardela-de-cabo-verde	***Calonectris edwardsii***
bobo-escuro	***Puffinus griseus***
bobo-grande-de-sobre-branco	***Puffinus gravis***
bobo-pequeno	*Puffinus puffinus*
pardela-de-asa-larga	*Puffinus lherminieri*

COORDENAÇÃO DA EDIÇÃO:
Iuri Neves Martins

REVISÃO TÉCNICA:
Dimas Gianuca
Marica Carolina Ramos
Fabiano Peppes

CRÉDITOS FOTOGRÁFICOS

LUCIANO CANDISANI - capa e orelha, p. 39-40, 44-45, 50-53, 82, 85, 87.

FABIANO PEPPES - p. 12, 34, 36a, 41, 48-49, 57-59, 64, 69, 72-73, 80, 86, 102-103.

DIMAS GIANUCA - quarta-capa, p. 1, 2, 4, 6-8, 10-11, 14-17, 32, 33, 35, 36b, 37-38, 42-43, 47, 54-56, 60-68, 70, 73, 75, 78-79, 89-93, 95, 99-100, 117, 128, 132.

BRUNO LIMA - p. 22 (ilustração).

ACERVO PROJETO ALBATROZ - p. 18-31, 76, 77, 80-81, 86, 94, 96-97, 101-104, 106-110, 112-115, 119, 129, 130.

ACERVO PROJETO TAMAR - p. 116a, 118a, 126 e 127.

ACERVO PROJETO BALEIA JUBARTE - p. 116d, 118b, 120 e 121.

ACERVO PROJETO GOLFINHO ROTADOR - p. 116c, 118c, 124 e 125

ACERVO PROJETO CORAL VIVO - p. 116b, 118d, 122 e 123.

EDITOR
Alexandre Dórea Ribeiro

EDITORA EXECUTIVA
Lígia Costa

TEXTO
Tatiana Neves

FOTOGRAFIA
Luciano Candisani
Fabiano Peppes
Dimas Gianuca

DIREÇÃO DE ARTE E PRODUÇÃO GRÁFICA
Edgar Kendi Hayashida (Estúdio DBA)

REVISÃO
Mario Vilela

PRÉ-IMPRESSÃO
Bureau SP

IMPRESSÃO
RR Donnelley

Copyright © 2013 by DBA Editora

DBA

DBA Dórea Books and Art
al. Franca, 1185 cj. 31 • cep 01422-001
Cerqueira César • São Paulo • SP • Brasil
tel.: (55 11) 3062 1643 • fax: (55 11) 3088 3361
dba@dbaeditora.com.br • www.dbaeditora.com.br